羊毛フェルトで作る

リアル猫人形

佐藤 法雪

CONTENTS

羊毛フェルトで作るリアル猫人形

はじめに 4

“レリーフ子猫” 6

“香箱座り” 8

“歩く猫” 10

猫人形の部位辞典 12

本書の使い方 12

Lesson 1 初級編

羊毛フェルト ～基本の“き” 13

羊毛フェルトの基礎知識 14

フェルティングに必要な道具 15

ニードルの扱い方 16

ボール型を作る 18

立方体型を作る 20

三角錐型を作る 21

ブレンドをする 22

羊毛綿を作る 23

“レリーフ子猫”を作る 26

　顔・胴体を作る 28

　羊毛の盛りつけ 30

Lesson 2 中級編

“香箱座り”を作る 33

　頭部を作る 38

　胴体を作る 40

　接合／仕上げ 42

Lesson 3　上級編

“歩く猫”を作る　45

頭部を作る　50

胴体を作る　54

接合／仕上げ　59

Lesson 4　応用編

“リアル”の工夫　61

骨格のポイント　62

ポーズいろいろ　64

表情のいろいろ　66

耳の表情いろいろ　67

柄のいろいろ　68

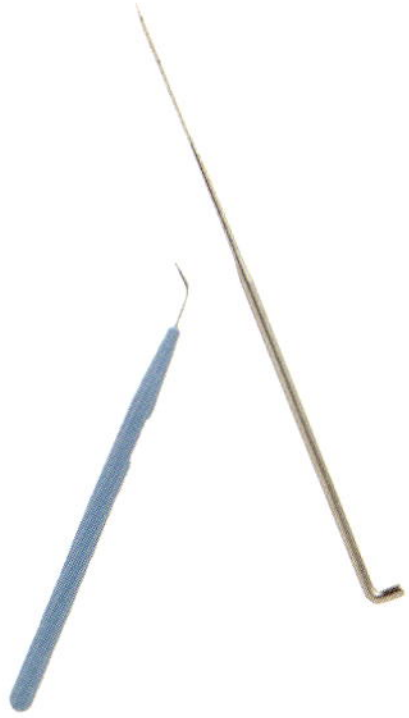

猫人形作りQ&A　70

猫人形作家のつぶやき　32/44/60

おわりに　74

猫人形の型紙　76

はじめに

愛猫そっくりの猫人形を作る

猫という生き物は人間を虜にするとても不思議な魅力にあふれています。
私が子どもの頃、猫は野良猫としてごく身近にいる存在でしたが、
時代と社会の変化によって猫とのふれあい方は大きく様変わりしました。
今では保健衛生的な管理が行き届くようになり、
自由に闊歩していた野良猫も人間の管理下に置かれ、
猫はあたかも家族の一員として人生を共にする
かけがいのない伴侶のような存在になりました。

しかし、猫は人間よりも寿命が短いという悲しい現実があります。
そのため長年連れ添った愛猫そっくりの猫の人形がほしい、
さらに、お人形というより、短い間でも一緒にいてくれた愛猫に対する
感謝と慈しみを込めた記念碑として作ってほしいという要望が増え、
猫人形専門作家として活動している私に、
愛猫の人形制作を依頼される方が増えてきました。

そこで、有志の方と協力して『日本羊毛アート学園【猫科】』を開講することになりました。
これで愛猫家の方自身が自分の愛猫の人形を作れるようになったと思ったのも束の間、
今度は新たな問題が出てきました。それは遠方の方の受講です。
東京に住まわれていない方の通学はとても難しく、一部の熱心な方は
夜行バスや新幹線で訪れて、受講されるなどの苦労をされていました。

そこで、本があれば遠方の方でも猫人形制作を学べるのではないかということになり、
制作のHow to本の構想が持ちあがりました。そうしてできたのが、この本です。
本書が猫人形作りを楽しむきっかけになり、
愛猫家やペットを亡くした方の癒しになることを願っています。

佐藤法雪

Lesson 1

初級編 レリーフ小猫

→ P26

Lesson 2

中級編 香箱座り

P33

Lesson 3

上級編 歩く猫

→ P45

猫人形の部位辞典

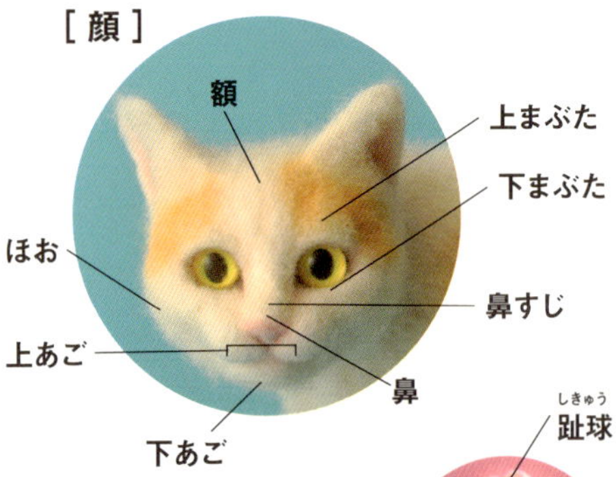
[顔]
額
上まぶた
下まぶた
ほお
鼻すじ
上あご
鼻
下あご

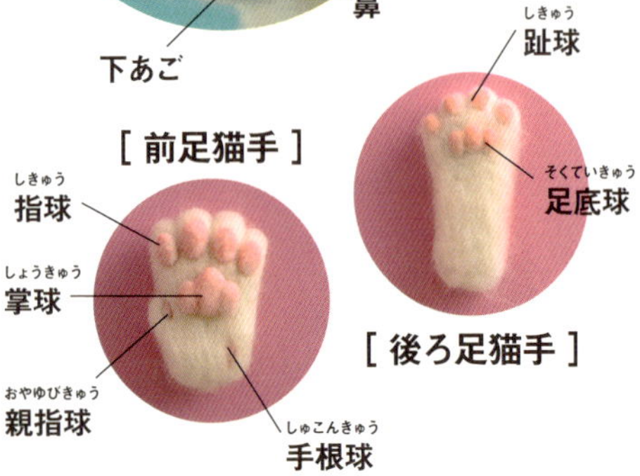
[前足猫手]
指球《しきゅう》
掌球《しょうきゅう》
親指球《おやゆびきゅう》
手根球《しゅこんきゅう》
趾球《しきゅう》
足底球《そくていきゅう》
[後ろ足猫手]

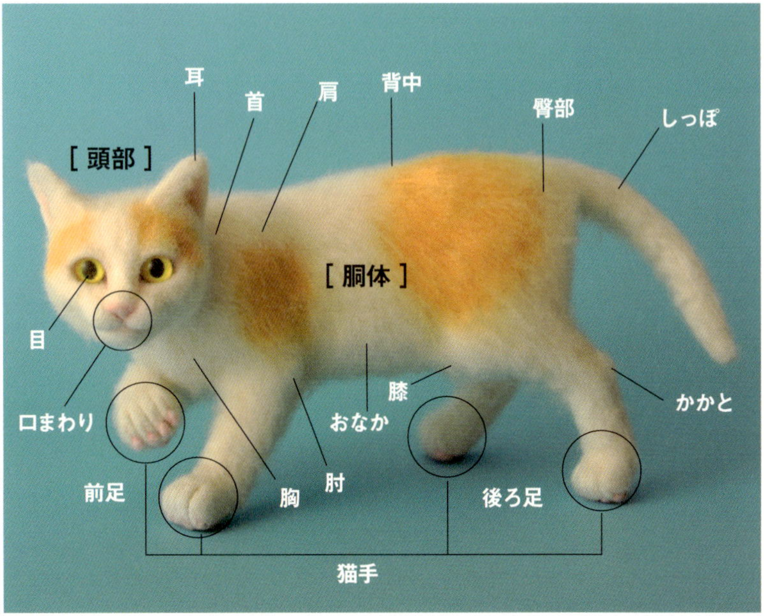
耳
首
肩
背中
臀部
しっぽ
[頭部]
[胴体]
目
口まわり
膝
おなか
かかと
前足
胸
肘
後ろ足
猫手

本書の使い方

【作例】

「初級編」＝「レリーフ猫」、「中級編」＝「香箱座り」、「上級編」＝「歩く猫」と、それぞれのレベルに合わせた猫人形の作例を紹介しています。まずはスタンダードな猫人形をマスターし、「応用編」のポージングや柄などのテクニックを参考に、好みの猫人形に仕上げていきましょう。

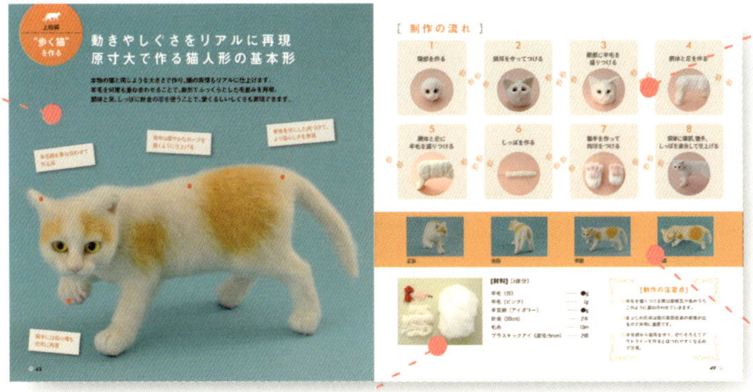
動きやしぐさをリアルに再現
原寸大で作る猫人形の基本形
[制作の流れ]

【制作の流れ】

制作過程の流れをダイジェストで解説。まずは、制作の流れをイメージしましょう。

【各方位画像】

作例となる猫人形を、正面、後面、側面、背面など各方位から撮影した画像を紹介。制作の参考にしてください。

【材料】

- 本書では、スライバータイプの羊毛（メリノウール100%）と手芸綿を主に使用しています。
- 羊毛の分量はあくまで目安です。「10g」「長さ10cm」などと表記していますが、これは、繊維の方向を揃えた羊毛の束を計量器などで10gに、もしくはハサミなどで長さ10cmに切り分けることを指します。
- 手芸綿は、そのまま手でちぎり、計量器などで分量通りに用意します。

Lesson 1

初級編

羊毛フェルト
～基本の“き”

初級編
基本の「き」

羊毛フェルトの基礎知識

羊毛フェルトと聞いても、よくわからないという人も多いのでは。
まずは、リアル猫人形の素材となる羊毛と手芸綿について、
そして基本的な作り方の流れを説明します。

羊毛フェルトとは？

羊毛フェルトとは、羊毛を使ってクラフト作品を作る手芸のことです。羊毛をニードル（フェルティング専用針）でチクチクと刺すことで、適度な固さと質感を表現することができます（フェルト化）。ニードルは普通の縫い針とは違い、先端部分にギザギザとした棘（とげ）状の突起があり、羊毛に刺すと突起部分に繊維が引っかかり、ほかの繊維と絡み合うことでフェルト化します。ニードルを刺す回数が多いと固く質感のある形ができ、少ないとふんわりとした軽い質感になります。

手芸店に行くと、さまざまな種類の羊毛が売られていますが、繊維が一定方向に揃って束になっている羊毛を「スライバータイプ」と言います。本書では、すべての作品をスライバータイプの羊毛で作ります。

羊毛

スライバータイプの羊毛（素材はメリノウール100%）。繊維の方向を揃えて細長く巻き取った状態で市販されている。カラーも豊富。

形作るベースには手芸綿を使用

リアル猫人形の制作では、羊毛のほかに手芸綿も多く使い、ボディラインとなるベースを作ります。手芸綿もニードルを刺すことでフェルト化し、いろいろな形が作れます。

リアル猫人形作りの基本は、型紙（P76～79参照。自作してもよい）を参考にしながら、手芸綿をニードルで刺し固めてベースを作り、これに羊毛を盛りつけ、猫の肉づきに合わせてニードルで刺していくという流れです。本書では3つの作品の制作プロセスを紹介しながら、その作り方を学んでいきます。

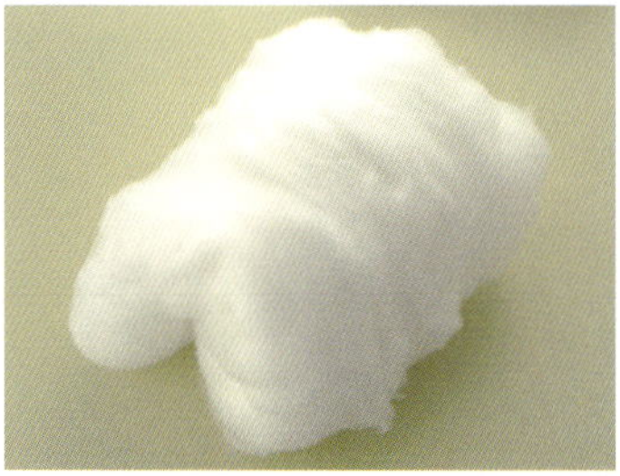

手芸綿

ニードルで数回刺すだけでフェルト化するため、猫人形のベースに使用する。一般的な手芸綿でよいが、反発性の強い手芸綿（チップ綿、ちぎり綿など）は固まりにくいので、猫人形には向かない。

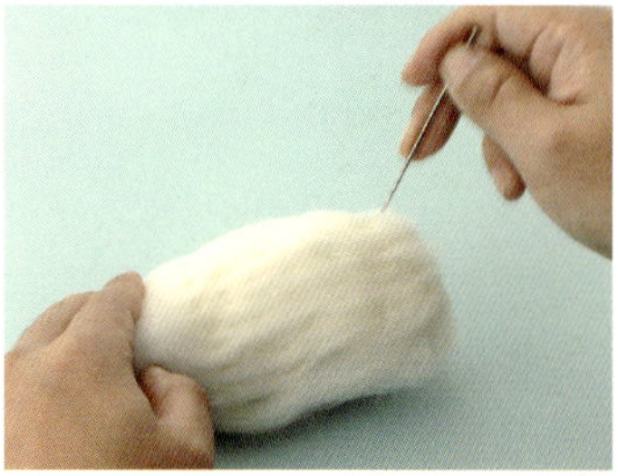

リアル猫人形作りでは、手芸綿で作ったベースにニードルで羊毛を刺し、さまざまな作品を作っていく。

フェルティングに
必要な道具

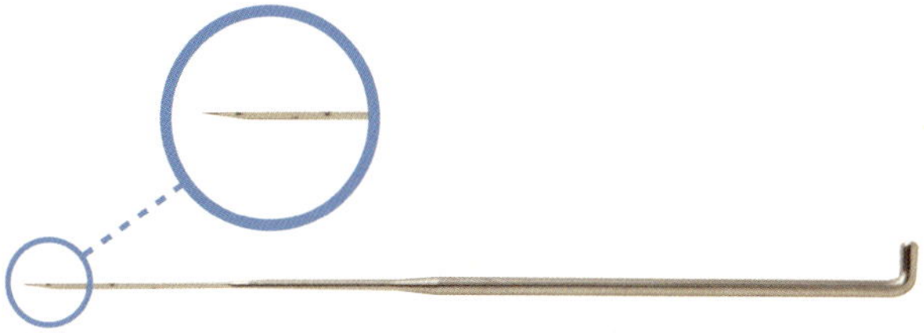

フェルティング用ニードル

レギュラータイプと細かい細工ができる細針タイプがある。専用のホルダーを使えば、2本のニードルをセットして2本針で使える。

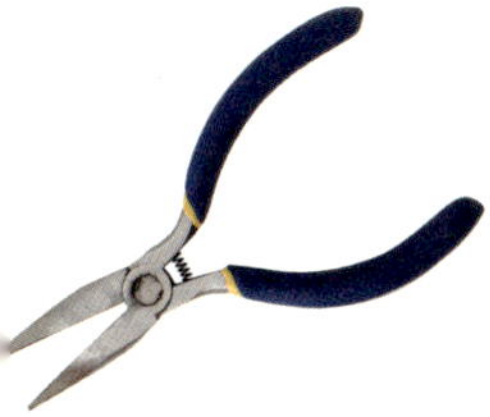

ペンチ

胴体のベースの芯に使う針金を折り曲げるほか、プラスチックアイを顔に貼り込む際にも使用。

ハサミ

羊毛を切るときに使う。紙などを切るハサミでもよいが、羊毛フェルト専用に用意した方がよい。

目打ち

胴体のベースに針金を刺す穴を開ける時などに使用。千枚通しやキリなどでも代用できる。

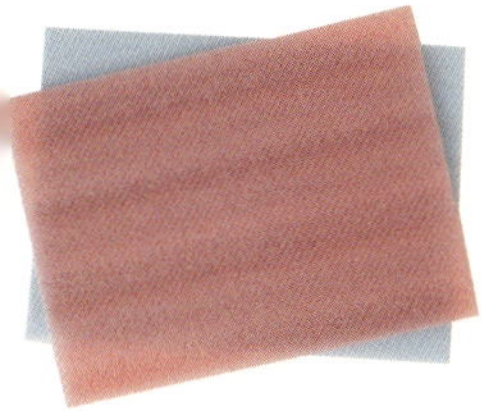

マットカバー

フェルティング用マットの色カバー。マットの上にかぶせることで、白い羊毛を作業する際にあると便利。

フェルティング用マット

スポンジ状のマット。羊毛の下に敷くと、刺し通すことができるので、ニードルが折れるのを防ぐ。

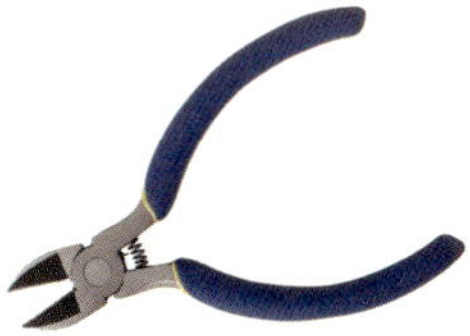

ニッパー

金属を切ることができ、針金を切る時に使う。金属が切れる刃のついたペンチがあればなくてもよい。

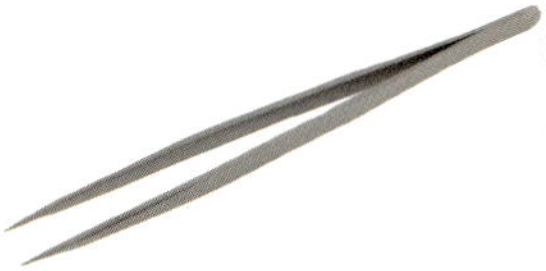

ピンセット

細かい場所を細工する時などにおさえるのに使用。ニードルで手を刺すのを予防できる。

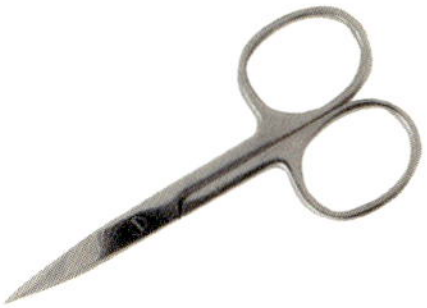

手芸用ハサミ

細かいカットの細工やトリミングをする時には通常のハサミより使い勝手がいい。

プラスチックアイ

猫人形の目に使う手芸用のもの。いろいろな大きさがある。裏に出っ張りがある場合は、ニッパーでカットしておく。

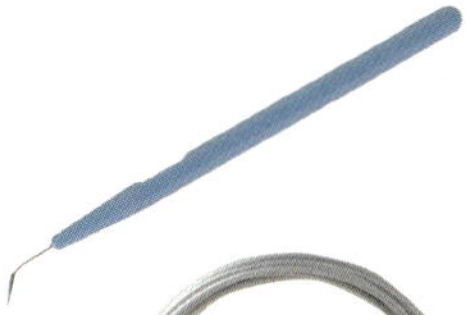

引っかき棒（かぎ針）

先端が尖り、かぎ爪のように曲がった金属がついた棒。毛並みを整える時に使う。

針金

胴体の芯として使う。自由に折り曲げられ、カットもしやすいアルミ製のものを選ぶこと。

ニードルの扱い方

羊毛フェルトで最も重要なのが、ニードルを使いこなすことです。正確な持ち方、刺し方を身につければ、後は経験を積むだけといえます。

ニードルの持ち方

ニードルの針の先を針先（はりさき）、中央を針体（しんたい）、上部を針柄（しんぺい）と言います。針柄は先が少し曲がっており、ここがストッパーの働きをします。

まず、針体を親指と中指で持ち、次に人差し指の第一関節あたり（直接関節にあたると痛いので少しずらす）を軽く針柄の上に乗せます。この時、針柄の曲がっている方が親指側に向くようにします。針先側の突起に触れるとけがをすることがあるので、直接さわらないこと。

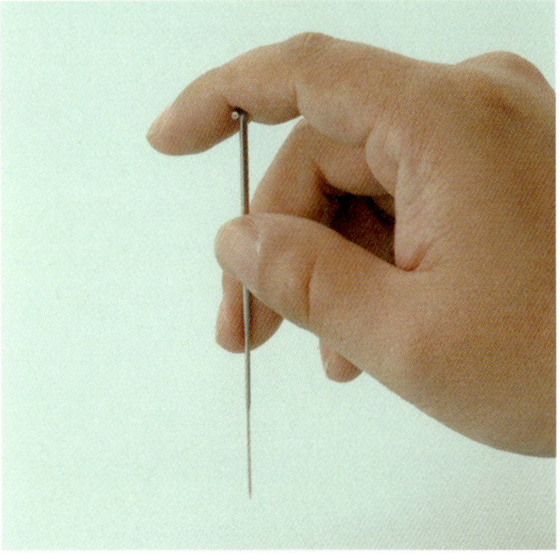

力を入れすぎず、軽く持つことを心がける。

この持ち方はNG

人差し指を針柄部分の上に突き立てるように持つのはNG。腱鞘炎になる恐れも。

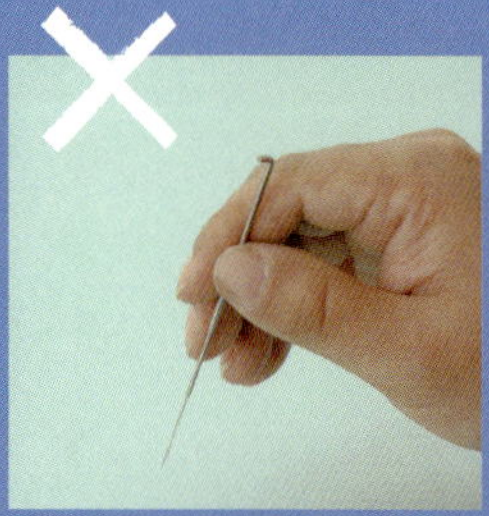

鉛筆のように持つと、刺した瞬間にニードルが指から後ろにすり抜けることも。

握るように持つと深く刺せず、力が入りすぎニードルが折れることも。

針柄部分を指先だけで持つのは不安定かつ、力が入らないのでNG。

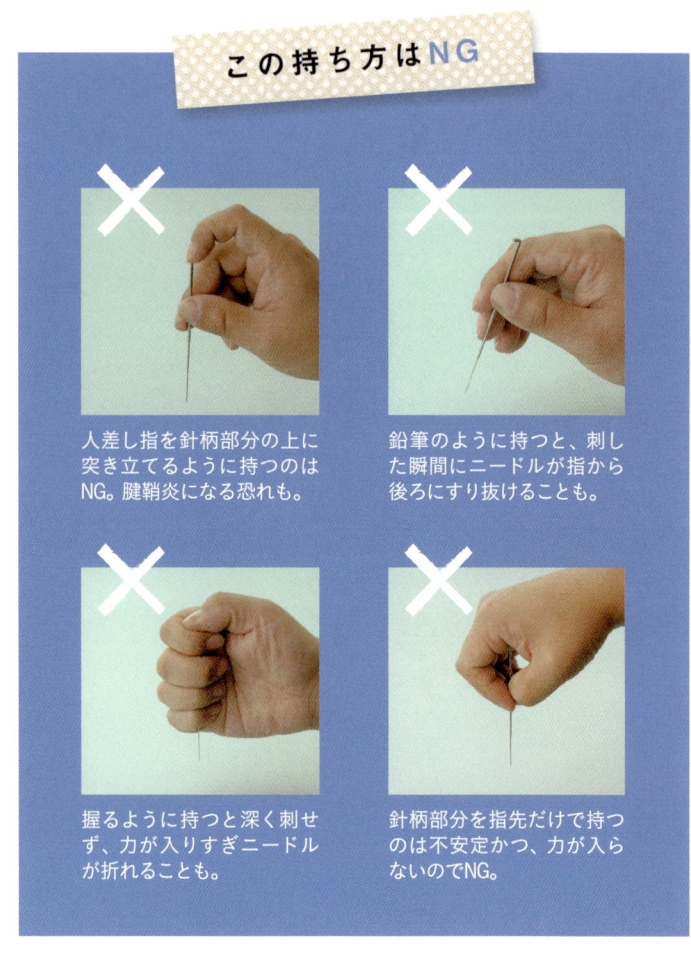

ニードルの刺し方

羊毛や手芸綿にニードルを刺す角度は刺しやすい角度で構いませんが、ニードルを刺したら、そのまままっすぐ引き抜くように戻します。間違った刺し方で作業して針が折れる恐れがあるので注意しましょう。

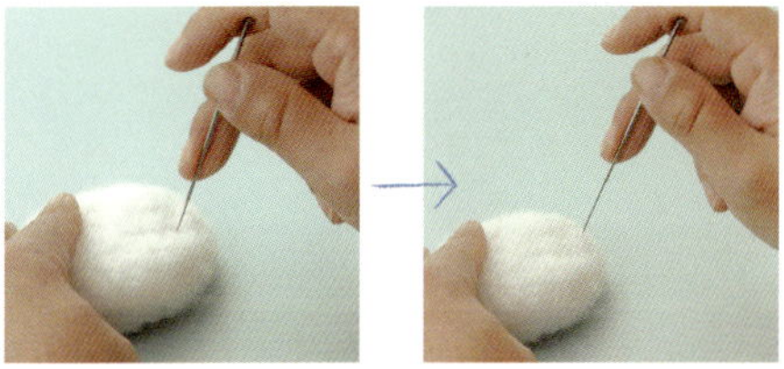

刺した後、そのままの角度でまっすぐに引き抜く。下にマットがあれば突き通してもよい。

この刺し方はNG

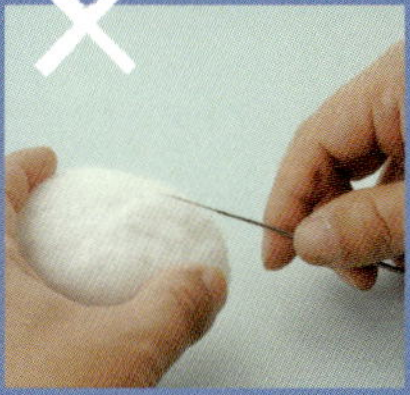

手芸綿の表面を縫うように刺すのはNG。ニードルが曲がり、針が折れる恐れもある。

ニードルが曲がったまま刺すのは絶対ダメ。当然、針が折れる恐れがあり危険。

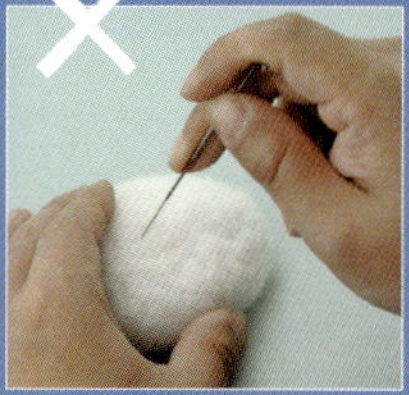

針先で表面の綿や羊毛を掻き集めたり、刺したまま移動させるのも針が折れる原因になる。

羊毛・手芸綿のおさえ方

ニードルを刺す時は、羊毛や手芸綿を必ずしっかりとおさえること。利き手が右手なら左手でおさえます。指でおさえるのが基本ですが、小さなものを刺す時はピンセットなどでおさえてもよいでしょう。

親指と人差し指、中指を使ってしっかりおさえる。

このおさえ方はNG

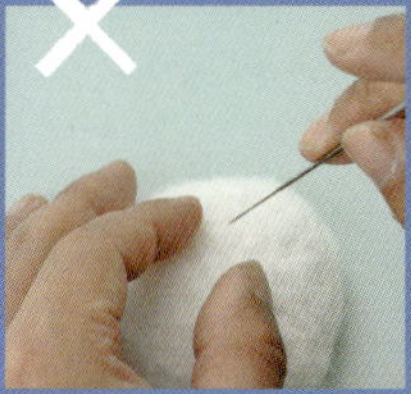

指とニードルの距離が近すぎると指を刺す恐れがあるので、できるだけ離すこと。

パーツを片手で持ち上げた状態で作業すると不安定で、しっかり刺すことができない。

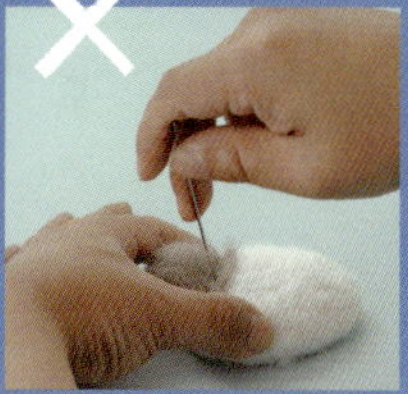

ニードルを右手で持つならば右方向から刺す。左方向から刺すと右手に隠れて見えづらい。

初級編

基本の「き」

ボール型を作る

手芸綿で作るパーツのうち、最も基本的な形といえるのが「ボール型」です。猫人形の頭部や口まわり、胴体のベースなどに利用します。

完全な球体にするイメージで、好みの固さになるようにニードルで刺して形作る。

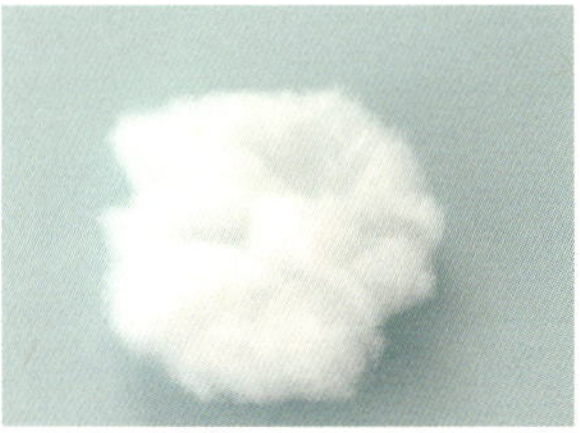

1 手芸綿をひとつかみ取り、マットの上で平たく伸ばす。

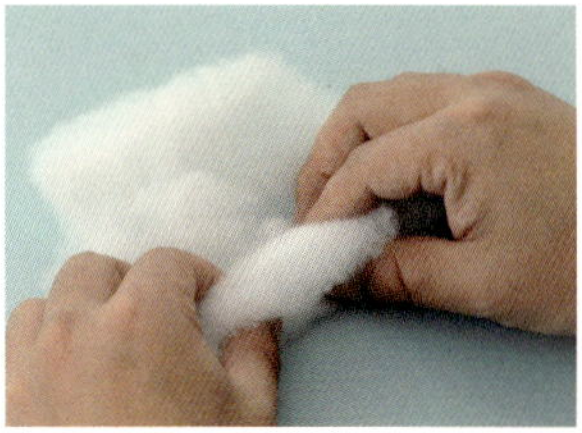

2 手前から手で巻いて、棒状にする。

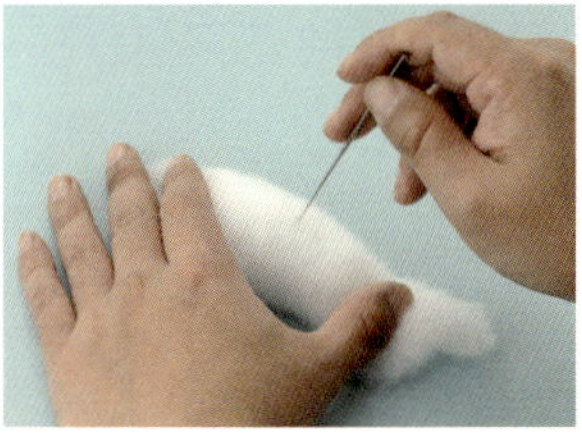

3 2をニードルで刺し固める。

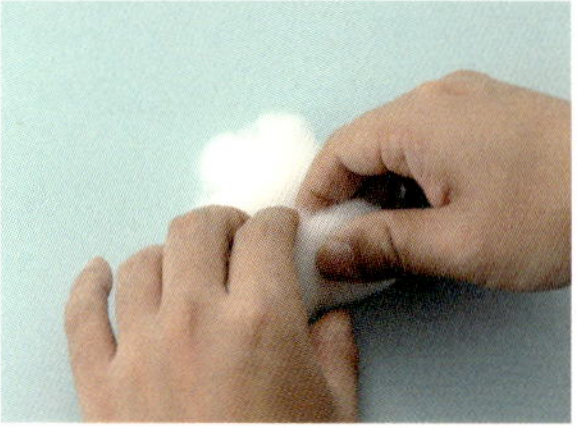

4 さらに端から巻いて、小さくする。

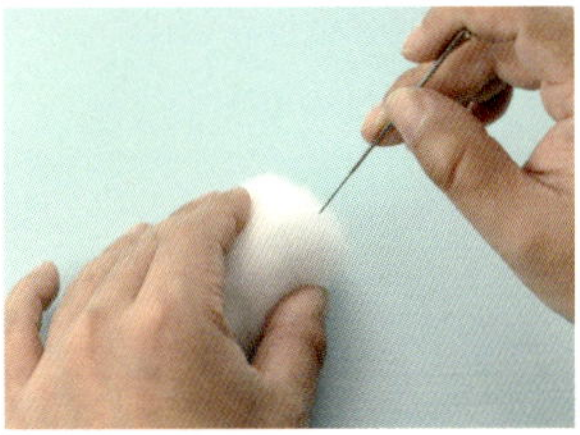

5 4をニードルで刺し固める。

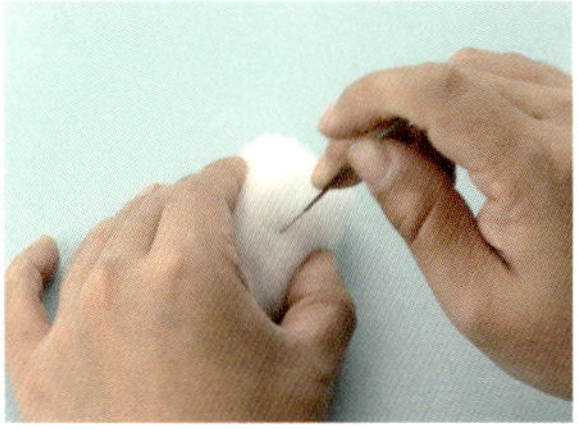

6 両側に手芸綿のあふれがでるので、ニードルを刺して表面を整える。

7 反対側も同様にニードルで刺して表面を整える。

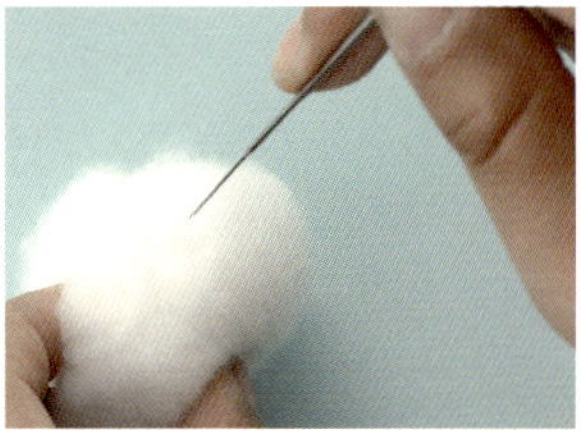

8 手芸綿の中心まで刺すイメージで、ボール型に近づけていく。

9 左手で転がしながらおさえ、表面全体を均一にニードルで刺す。

10 中心を固くさせたい場合は深く刺し、表面を整えたい場合は浅く刺す。

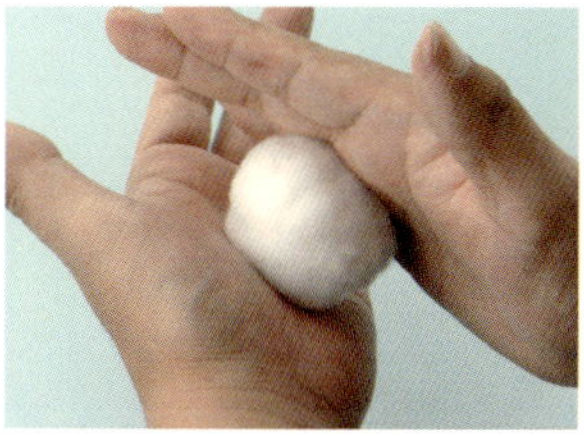

11 ほぼボール型になったら手で丸め、理想のボール型になるまでさらにニードルで刺し、調整する。

「ボール型」のバリエーション

せんべい型

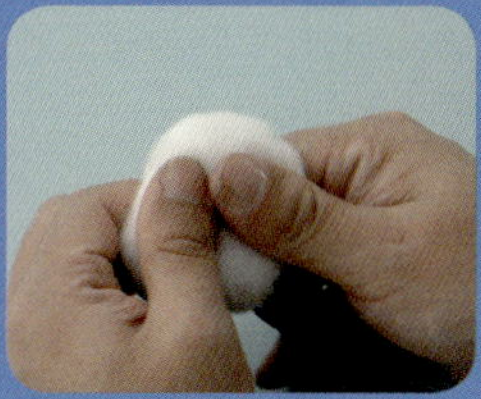

1 ボール型を作って、指でせんべいの形につぶす。

→

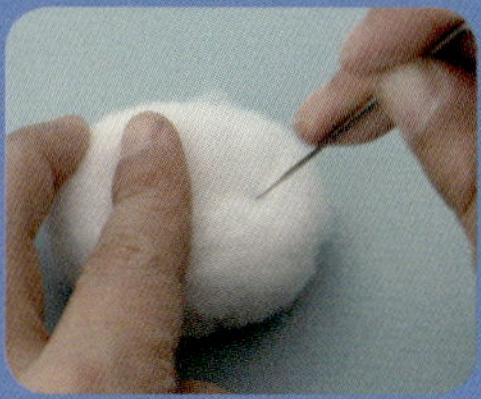

2 ニードルで刺し固める。

→

3 せんべい型の完成。猫人形の顔などに使う。

コッペパン型

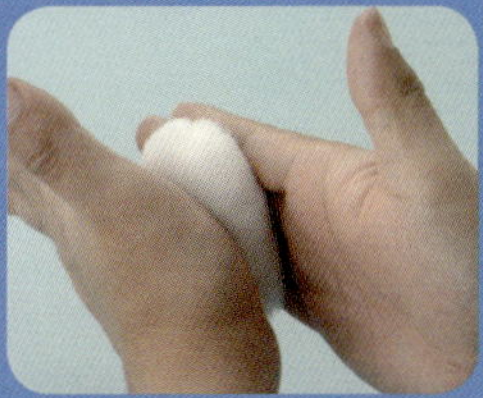

1 ボール型を作って、手で圧迫する。

→

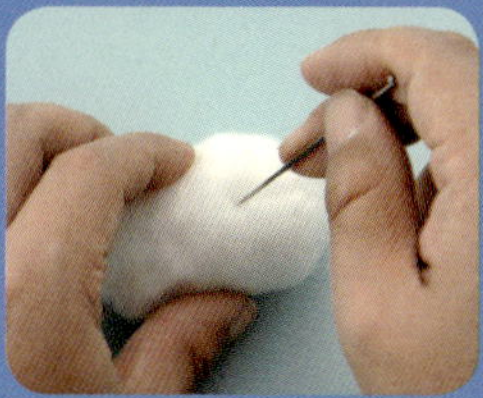

2 ニードルで刺し固める。

→

3 コッペパン型の完成。香箱座り（P33参照）の胴体などに使う。

初級編

基本の「き」

立方体型を作る

「立方体型」は猫人形のパーツとして使うことはありませんが、手芸綿の表面を整える練習になるので、腕試しに作ってみましょう。

立方体はまずボール型を作り、その形を指で立方体に近づけて形作る。6個の平面を作ることになるので、手芸綿の表面を整える練習になる。

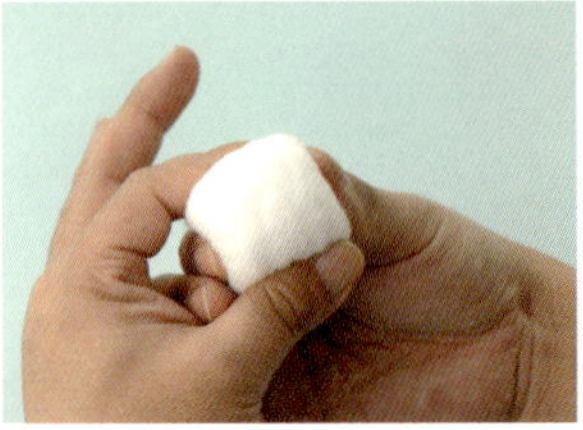

1 ボール型を作り、指でおさえて立方体に近づける。

2 指で立方体に形作ったところ。8個の緩い角と6個の面ができる。

3 それぞれの面をニードルで刺し固め、表面を平らに整える。ニードルはやや浅めに刺す。

4 1面が平らになったところ。

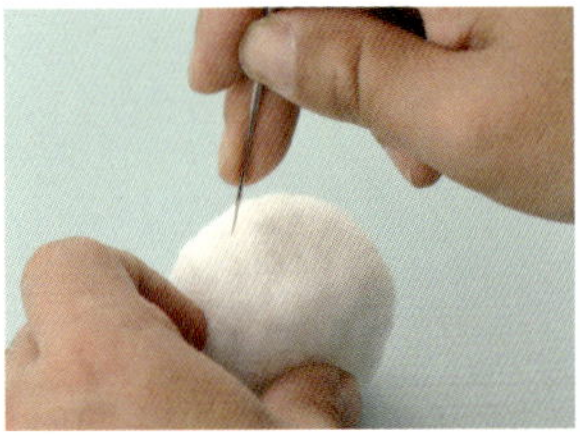

5 **4**でできた平面とつながる面を同様にニードルで刺す。

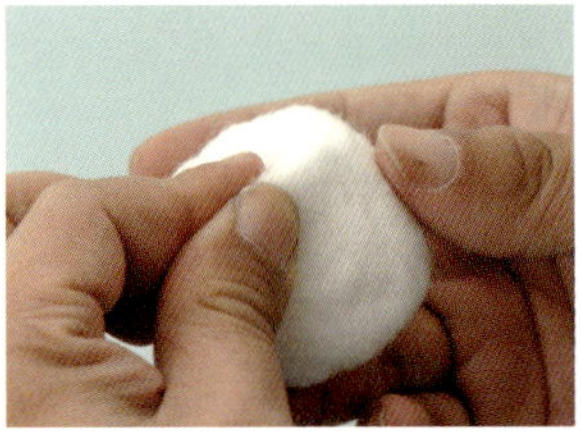

6 面同士が接するふちを指でおさえ、直角になるように整える。

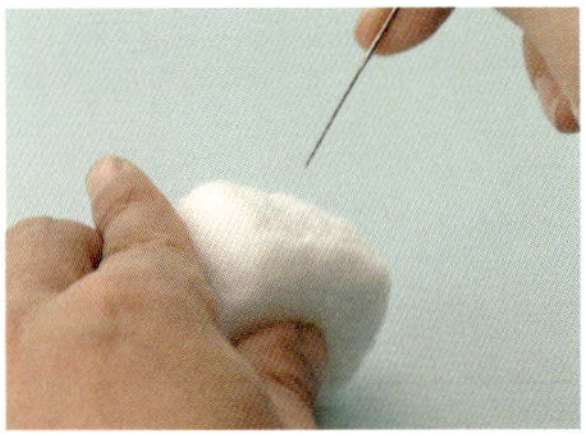

7 ほかの面もニードルで平面に整え、ふちを直角に形作る。

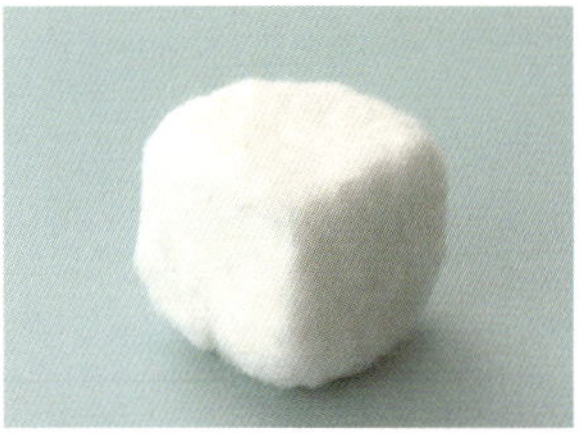

8 3面が平らになったところ。すべての面を同様に整え、ふちを直角に形作って完成。

三角錐型を作る

「三角錐型」は、猫人形の耳などに使います。
途中までボール型を作る要領で手芸綿を刺し固めてから、
三角錐の形に仕上げていきます。

三角錐を作るのは微妙な角度を整える練習になり、
これができればいろいろな形が作れるようになる。

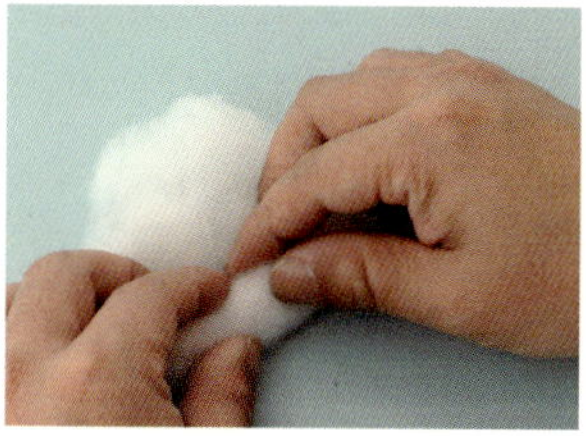

1 手芸綿をひとつかみ取り、平たく伸ばしてから手前から手で巻いていく。

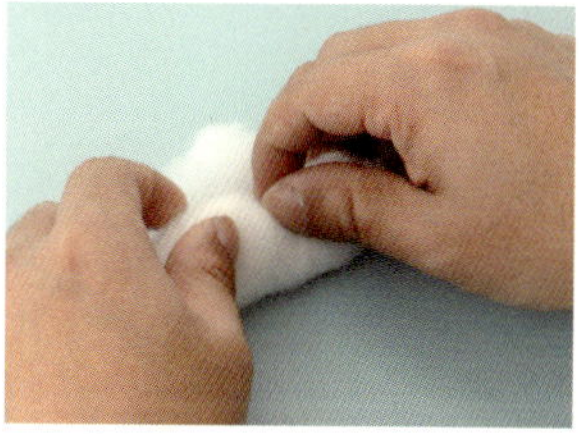

2 筒状になったらニードルで刺し固め、さらに手前から巻いていく。

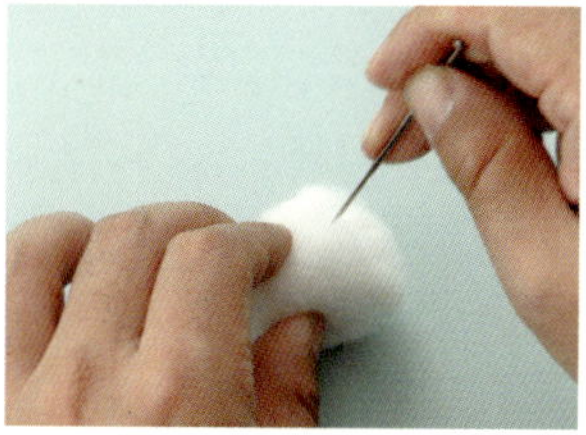

3 **2**をニードルで刺し固める。

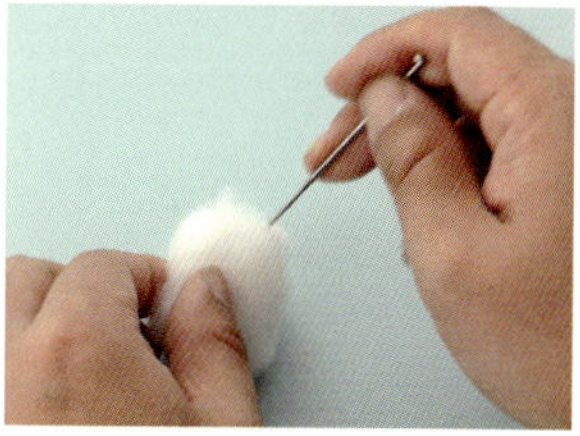

4 両側に手芸綿のあふれがでるので、ニードルで刺して表面を整える。

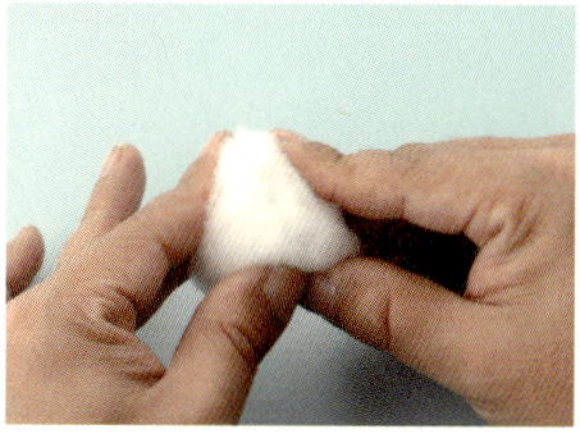

5 指でおさえて三角錐の形に近づける。

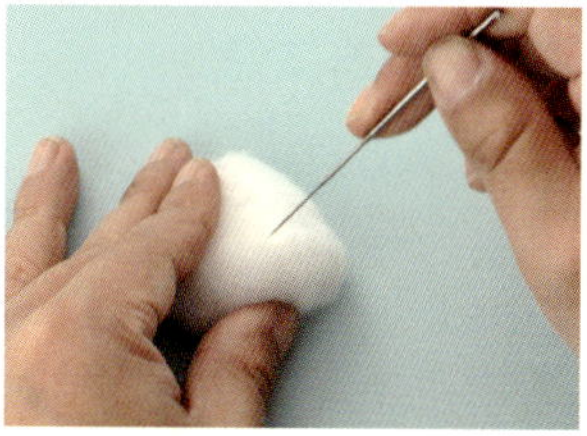

6 ニードルで刺し固めながら、さらに三角錐に形作る。

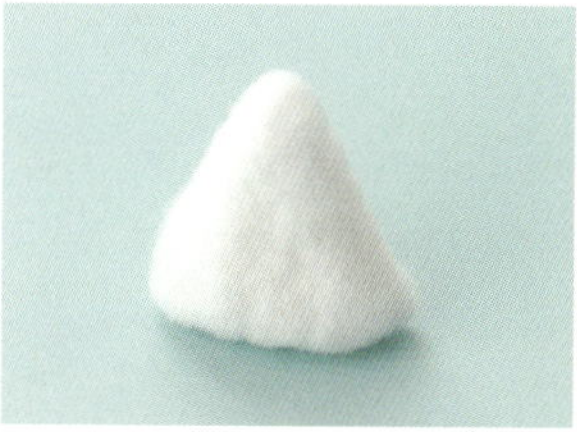

7 三角錐の形に近づいたところ。角が少し丸くなっているところがある。

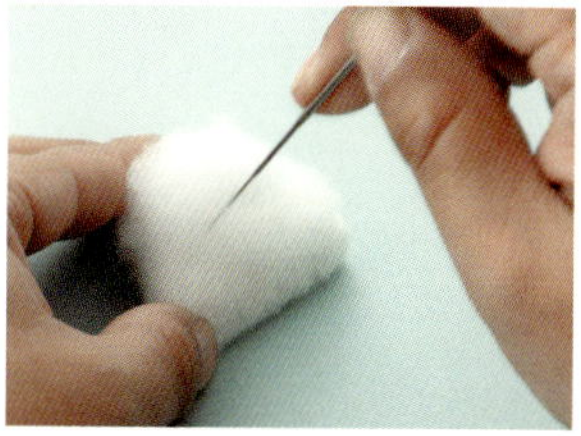

8 角に手芸綿を足し、ニードルで刺して鋭角に整えて完成。

初級編

基本の「き」

ブレンドをする

手芸綿で作ったパーツ同士を接合し、接した部分をきれいに整える(なじませる)ことを「ブレンド」をすると呼びます。そのやり方を紹介します。

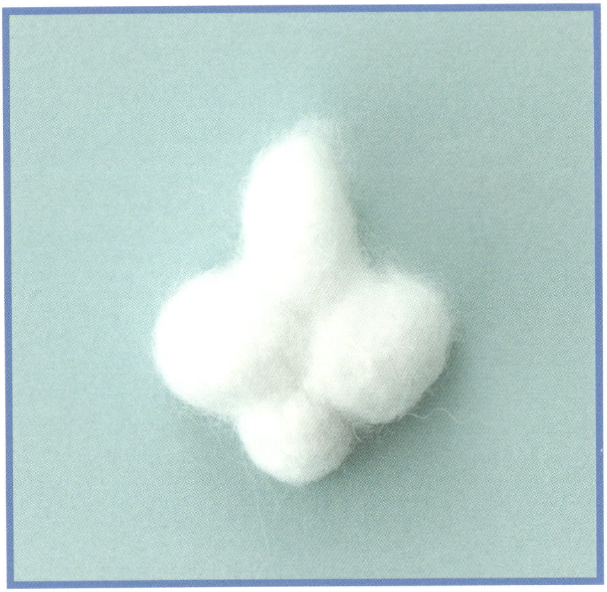

ここでは4個の小さなボール型をブレンドする場合で説明。
猫人形の口まわりは、このブレンドを行って形作る。

1 手芸綿をひとつかみ取り、ボール型を作る。

2 同じ大きさのボール型を4個作る。

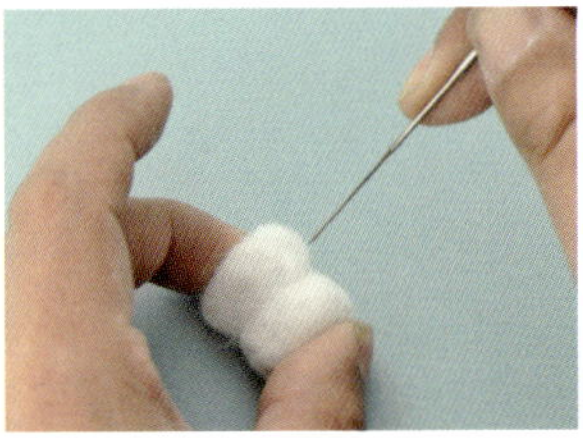

3 まず2個を合わせ、ニードルで刺してなじませる。これが口まわりの上あご部分のベースになる。

4 **3**に別の1個を同様にニードルで刺してなじませる。これが口まわりの下あご部分のベースになる。

5 さらにもう1個を同様にニードルで刺してなじませる。これが口まわりの鼻のベースになる。

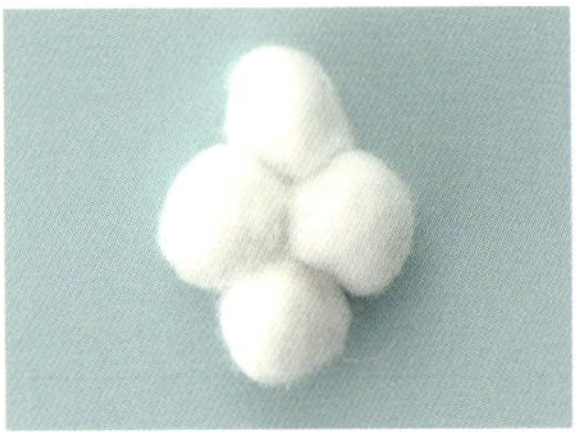

6 4個のボール型が接合されたところ。

7 このままではボール型同士が接する部分が不安定なので、手芸綿を足してニードルで刺し、補強する。

8 接した部分がなめらかになるように整えて完成。

羊毛綿を作る

羊毛をそのままでは使わずに、「重ねて裂く」を繰り返して
繊維の方向を不揃いな状態に綿状にしたものを
本書では「羊毛綿」と呼びます。その作り方を紹介します。

羊毛の繊維を網目状に重ねた羊毛綿は、猫人形のまぶたや耳などをリアルに仕上げるのに便利。

1 羊毛を長さ約2cmにカットする。

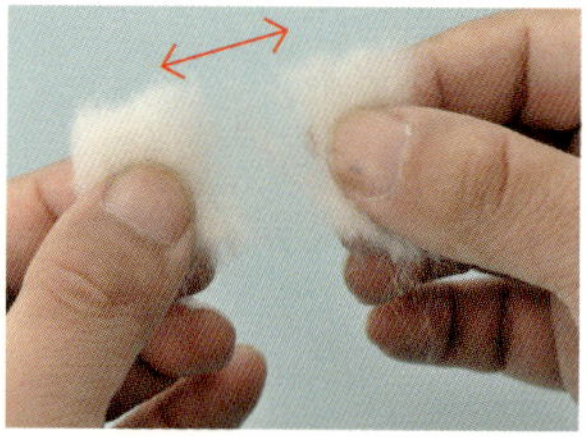

2 両端を手で持ち、左右に軽く引っ張るように切り裂く。

3 2をそのまま重ね合わせる。

4 もう一度左右に切り裂く。

5 裂いた一方をもう一方の繊維の方向と垂直になるように重ねあわせ、さらに切り裂く。きれいに混ざるまで行う。

これはNG

羊毛が完全に切り離されていない状態で重ねて切り裂くと…。

↓

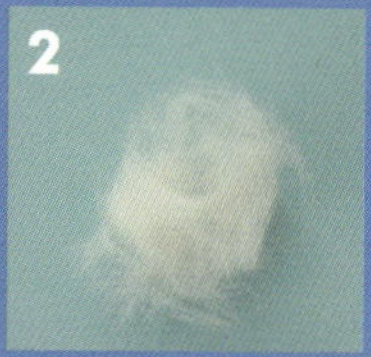

不均等に絡み合い、きれいに混ざり合わない羊毛綿ができてしまう。

羊毛の量が多すぎたり力を入れすぎるとうまく切り裂けず、きれいに作れない。

初級編

“レリーフ子猫”を作る

愛くるしいリアルな表情を
壁掛けタイプで手軽に作る

猫が座った姿の前側のみを作り、裏側は平面のまま仕上げます。
手芸綿のベースに、白と茶、黒の羊毛を盛りつけて三毛猫柄を表現。
壁掛けや机に飾ってもかわいい、猫人形の入門タイプ！

まぶた、鼻すじなど
顔の表情を猫らしくする
自然な毛並みの
三毛猫柄に仕上げる
臀部の肉づきを
しっかり表現
前足の先には指の溝を
入れ、ふっくらと仕上げる

[制作の流れ]

1

手芸綿で
猫の原型を作る

2

顔と足、
臀部を作る

3

全体に羊毛を盛り、
しっぽをつける

4

茶、黒、ピンクの
羊毛を盛り、仕上げる

裏側

上側

左側

右側

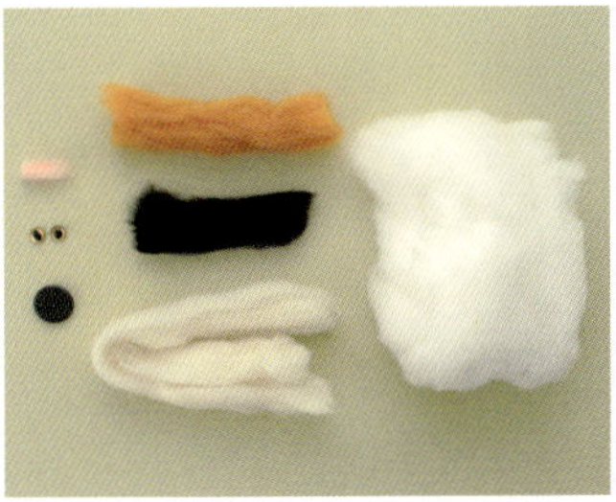

[材料]（1体分）

羊毛（白）	9g
羊毛（茶）	3g
羊毛（黒）	1.5g
羊毛（ピンク）	少々
手芸綿	18g
プラスチックアイ（直径1cm）	2個
磁石	1個

[制作の注意点]

◎頭部の羊毛は、毛の流れが顔の中心部から外側に向かうように盛り、ニードルで刺しつける。

◎しっぽは好みでつけてもつけなくてもOK。

◎目のまわりにニードルを刺すときは、プラスチックアイにニードルが当たってニードルの先端が折れることがあるので注意。

初級編
“レリーフ子猫”を作る

顔・胴体を作る

型紙を参考に手芸綿を刺し固め、猫の原型を作ります。
これに顔、前足、臀部、後ろ足をニードルで刺しつけ、
一体化するようになじませていきます。

猫の原型

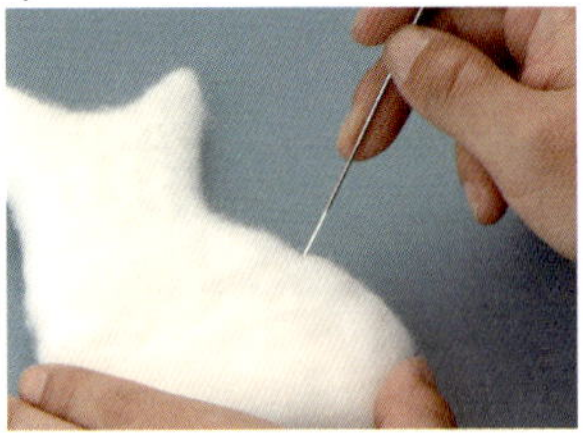

1 型紙を参考に手芸綿をニードルで刺し固め、猫の原型を作る。厚さは約1cmに。

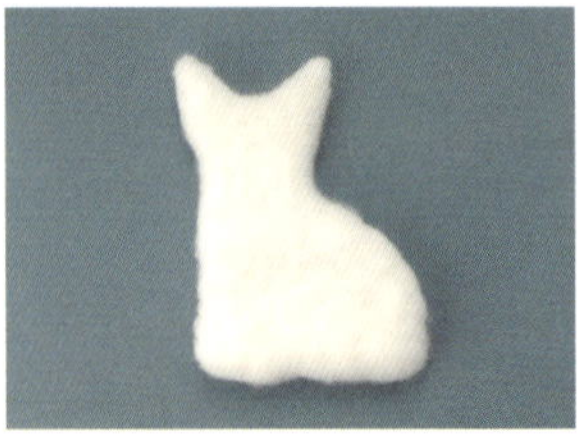

2 レリーフ子猫の原型が完成。この時点ではまだ凹凸のない平面の状態。

顔

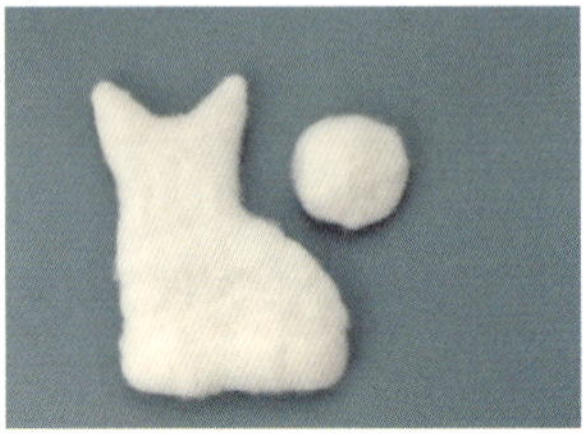

3 型紙に合わせて手芸綿をニードルで刺し固め、厚さ約1cmの鏡餅状にした顔のベースを作る。

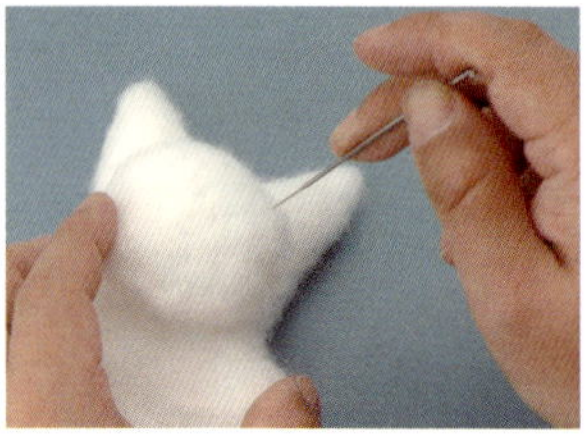

4 顔のベースを2の上に置く。ニードルで刺し、一体化するようになじませる。

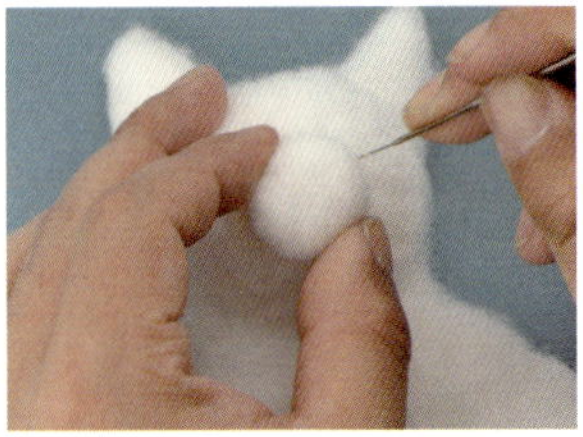

5 顔のベースの上に直径約2cmのボールを平たくした手芸綿を置く。ニードルで刺し、一体化するようになじませる。

6 ニードルを使って5に溝を入れ、4つの部位に分かれる口まわりを形作る。

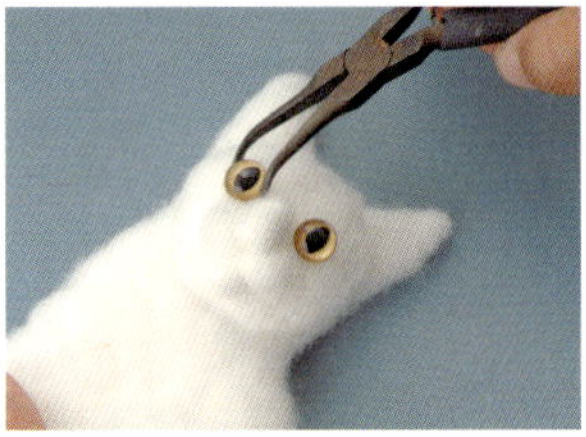

7 プラスチックアイの裏に両面テープを貼り、ペンチではさんで顔に貼りつける。

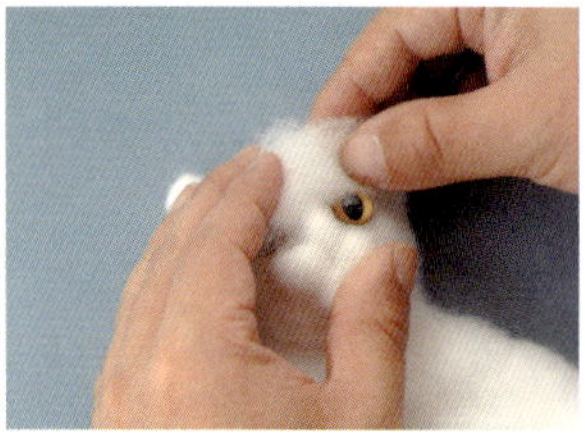

8 額と上まぶたになる位置に手芸綿を盛りつける。

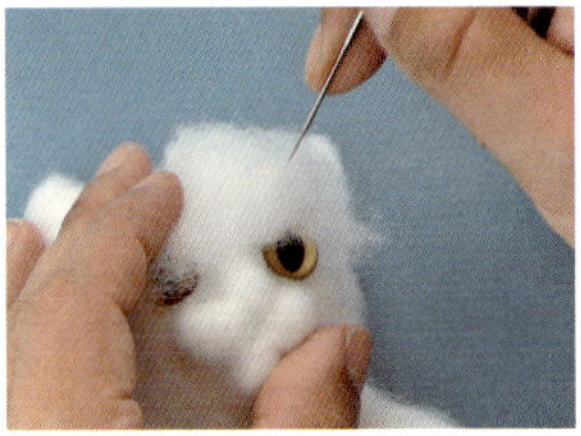

9 手芸綿をニードルで刺し固め、額とまぶたを形作る。

10 ほおにも手芸綿を盛り、ニードルで刺し固めてほおを形作る。

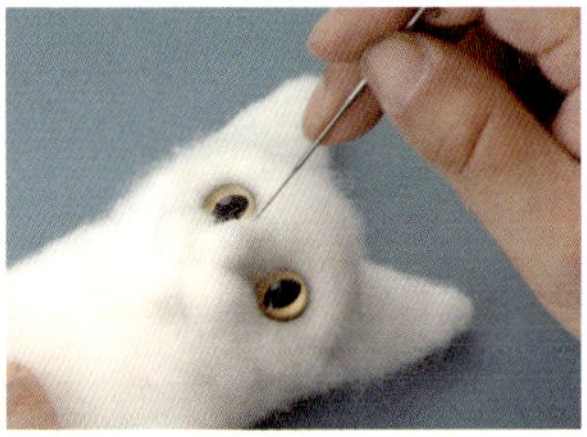

11 顔全体にニードルを刺して、鼻すじ、まぶた、ほおなどの輪郭を調整する。

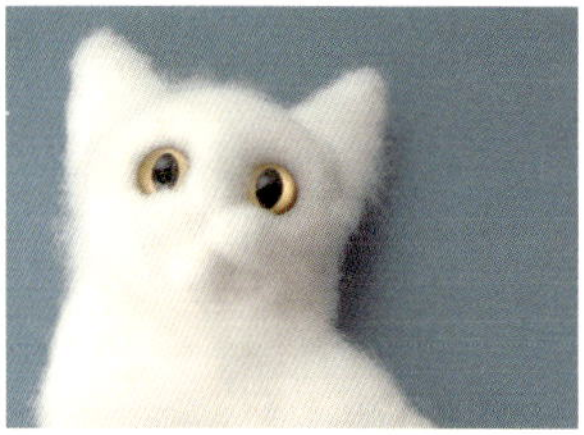

12 顔が完成したところ。

☆P76の型紙を参照(コピーして手元に置いて使いましょう)

前足

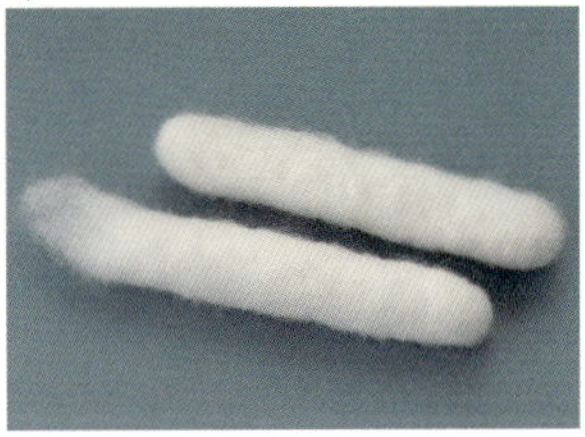

13 手芸綿をニードルで刺し固めて直径約2cm・長さ約7cmの筒状にした前足のベースを2個作る。

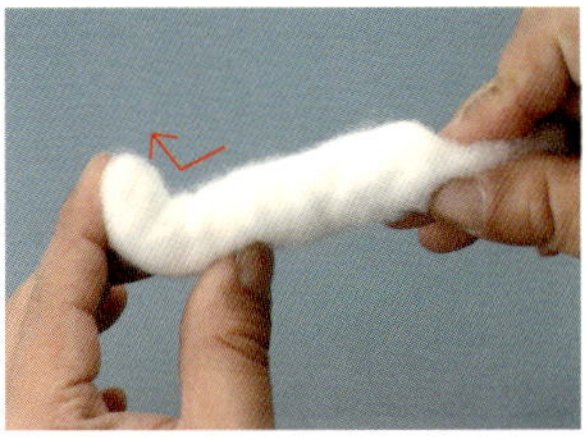

14 先端を折り曲げる。

15 折り曲げた先端をニードルで刺し固める。

16 15を猫の原型の上に置き、前足の位置を決める。

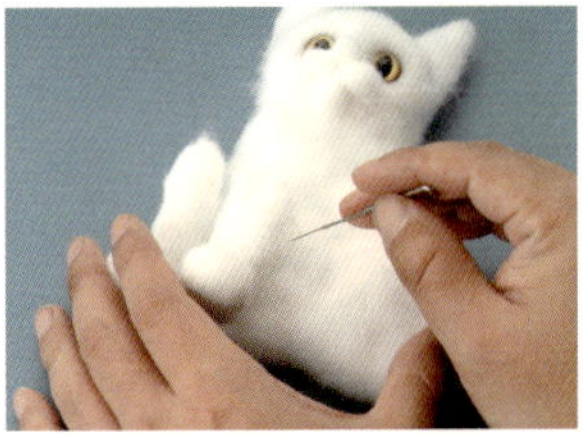

17 前足を猫の原型にニードルで刺しつけ、一体化するようになじませる。

臀部／後ろ足

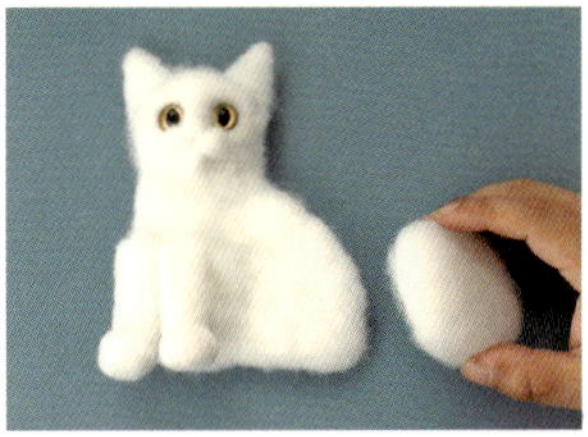

18 手芸綿で直径約6cmの鏡餅状にした臀部のベースを作る。猫の原型の上に置いて位置を決める。

19 臀部のベースを猫の原型にニードルで刺しつけ、一体化するようになじませる。

20 手芸綿で直径約1.5cmのボール型にした後ろ足の原型を作り、臀部の下部分に位置を決める。

21 後ろ足のベースを臀部にニードルで刺しつけ、一体化するようになじませる。

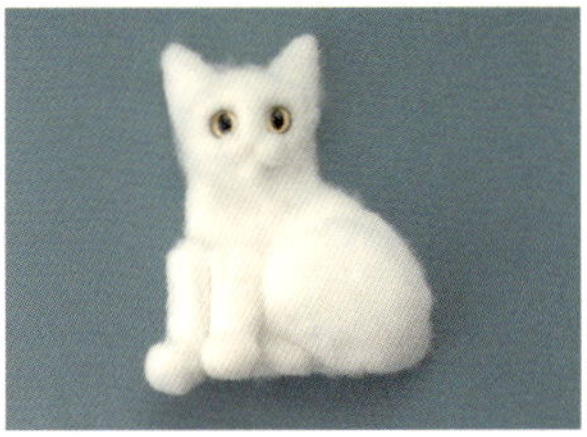

22 猫の原型に各パーツがすべてついたところ。不自然な形のところがあれば、ニードルで刺して形を整える。

調整

23 肉づきを表現するため、膨らみがほしい箇所に手芸綿を盛り、ニードルで刺して全体を調整する。

24 全体のベースが完成。

羊毛の盛りつけ

顔に短くカットした羊毛を盛り、上あごや耳には
羊毛綿を刺しつけます。胴体の羊毛は、まず白を盛り、
その上から茶や黒を盛りつけて好みの模様に仕上げます。

顔の羊毛盛りつけ

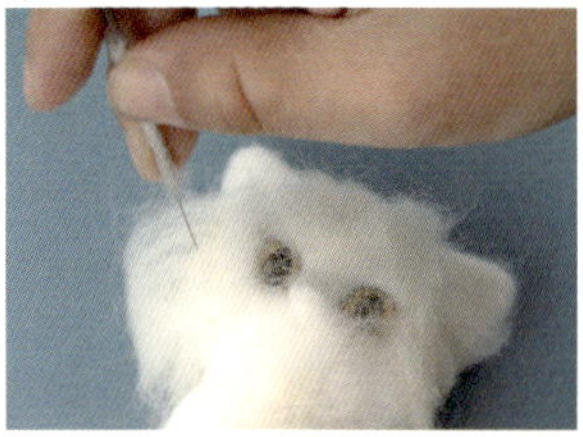

1 長さ約2cmに切った羊毛（白）をほお、額、下あごに盛り、ニードルで刺しつける。

2 はみ出た羊毛は頭部の裏側に巻きつけ、ニードルで刺す。

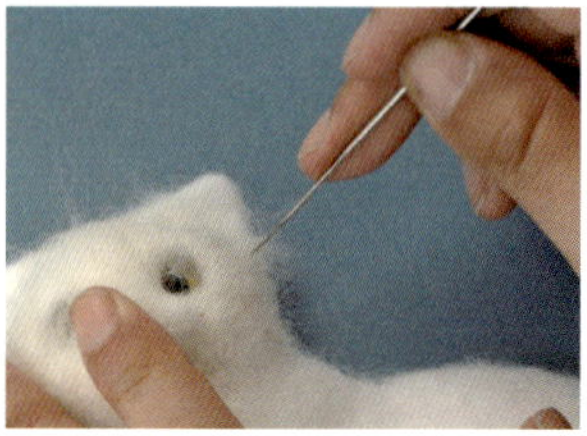

3 上あご部分には羊毛綿（P23参照）を盛り、ニードルで刺しつける。

4 まぶたを形作るために、羊毛綿を半分に折る。

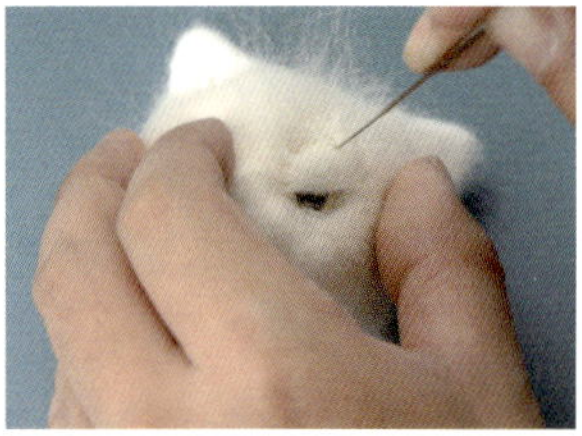

5 **4**を目を覆うように上に置き、目のふちに沿ってニードルで刺しつける。

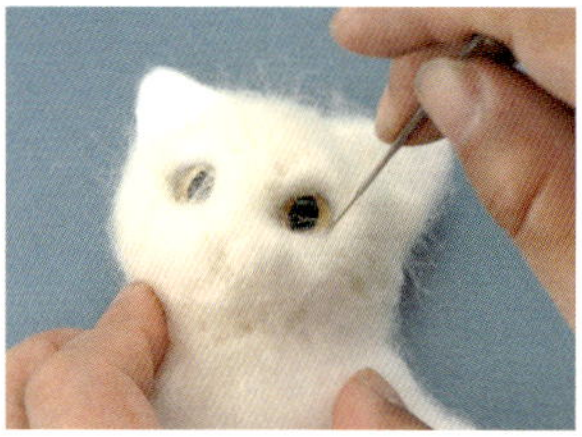

6 さらに羊毛綿をニードルで刺し固めて、まぶたを形作る。

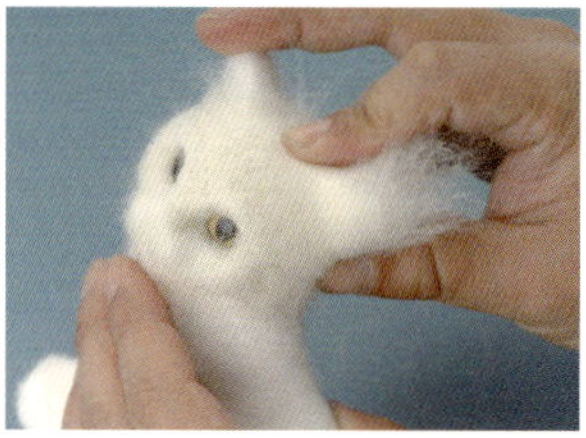

7 羊毛綿をくるむように耳に巻きつけ、ニードルで刺しつける。

8 はみ出た羊毛綿は耳の裏側にニードルで刺す。

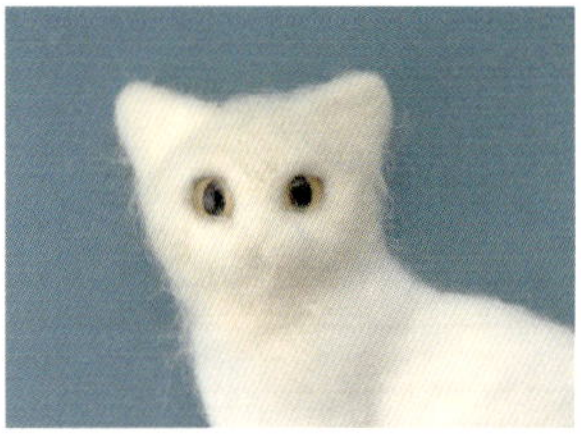

9 羊毛のボリュームを加減して、顔の羊毛盛りつけが完成。

胴体の羊毛盛りつけ

10 長さ約10cmに切った羊毛を毛並みの流れを確認しながら、臀部と胸から前足にかけてに盛り、仮止めする。

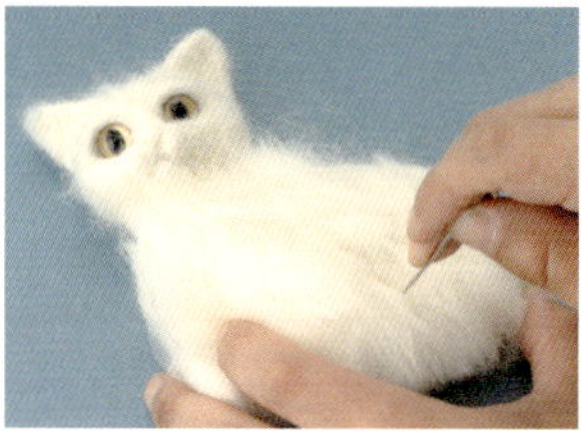

11 ニードルで刺し固める。

12 胴体全体に羊毛が盛りつけられたところ。

前足の指先

13 前足にニードルを刺して溝を形作り、4本の指先を形作る。

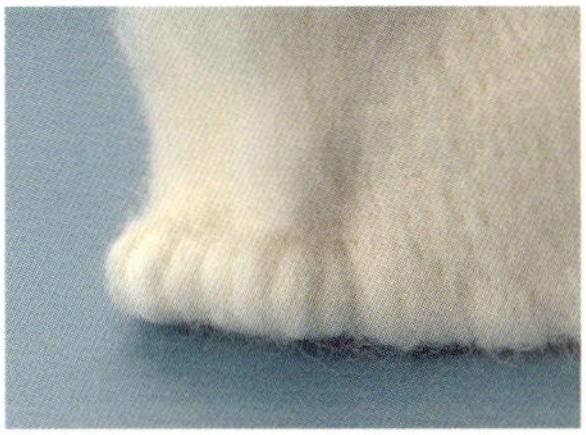

14 前足の指先ができあがったところ。後ろ足は行わない。

しっぽ

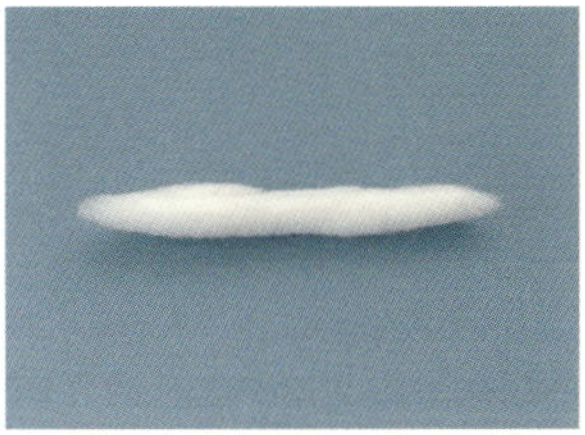

15 手芸綿を直径約1cm・長さ約10cmの筒状に丸めてニードルで刺し固める。

16 長さ約10cmに切った羊毛を左右に少し広げて伸ばす。

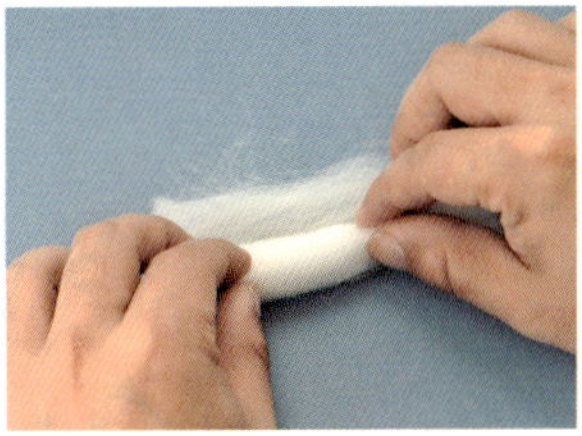

17 **15**を、**16**で巻きつける。

18 ニードルで刺し固めてしっぽが完成。これを胴体の裏側に刺しつける。

柄の羊毛盛り、仕上げ

19 長さ約3cmに切った羊毛（茶）を臀部に盛りつけ、ニードルで刺しつける。

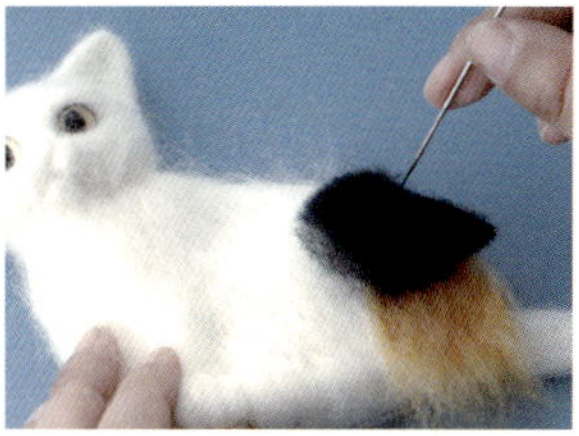

20 長さ約3cmに切った羊毛（黒）を重ねるように盛り、ニードルで刺しつける。

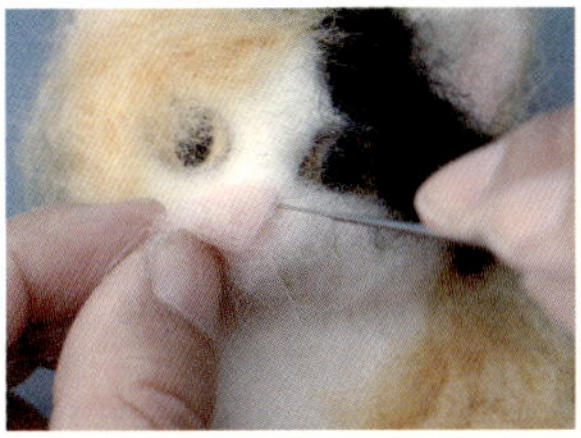

21 同様に茶や黒の羊毛を好みの三毛猫柄になるように盛り、ニードルで全体がなじむように刺しつける。

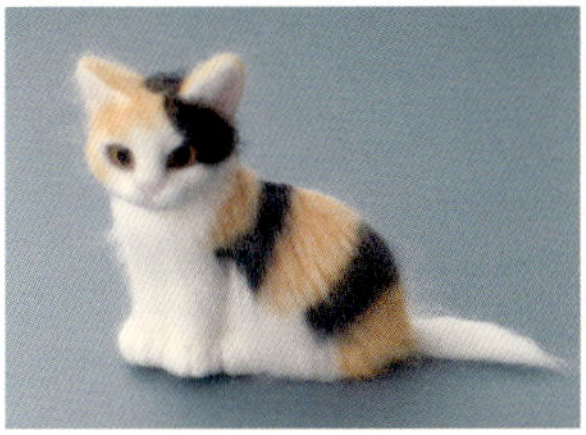

22 羊毛を加減しながら盛り、全体をニードルで刺して調整する。最後に引っかき棒で毛並みを整えて完成。

column

裏側は自由に工作してもOK

この作品は表側のみを作るタイプなので、裏側には羊毛を刺しつけません。裏側の中央部分をハサミなどでくり抜き、磁石を接着すれば、鉄製の家具（ホワイトボードや冷蔵庫）などに飾りつけることができます。クリップなどをつけてアレンジすれば、いろいろな場所に取りつけて楽しむこともできます。

猫人形作家のつぶやき

　ニードルの使い方に慣れ始めた初心者の方が、羊毛フェルトの経験者よりもかわいい猫人形を作り出す場面に何度も遭遇しています。自分の作品の矛盾点や表現力の甘さを客観的に指摘・添削されるのは経験者ほど辛く、従いたくないものです。
一方、初心者の方は制作中、わからないところがあれば素直に尋ね、間違ったところを添削されれば即座に応じます。その素直さを裏で支えているのは、少しでも飼い猫に近い猫人形を作りたいという猫への深い愛情だと思います。

Lesson 2

中級編

“香箱座り”を作る

中級編

“香箱座り”を作る

心が和む猫のリラックスポーズ
羊毛を盛り重ねて好みの柄に

前足を内側に折り曲げて、ちょこんと座る「香箱座り」。
猫が安心してくつろいでいる時のお決まりのしぐさ。
愛嬌たっぷりのリラックスポーズを再現します。

耳は三角錐を作って
頭部に刺しつける
背中は盛りあがりのある
曲線を描くように
ふっくらとした後ろ足の
肉づきを再現
前足を内側に折り曲げて
胴体に取りつける

[制作の流れ]

1

頭部を作る

2

胴体を作る

3

頭部と胴体を
接合する

4

グレーと黒の羊毛を
盛り重ねて仕上げる

後面

前面

底面

背面

[材料]（1体分）

羊毛（白）	15.5g
羊毛（グレー）	5.5g
羊毛（黒）	0.5g
羊毛（ピンク）	少々
手芸綿	32g
プラスチックアイ（直径1cm）	2個

[制作の注意点]

◎プラスチックアイを入れる目の穴を開ける際は、プラスチックアイの直径より少し小さく開け、プラスチックアイがしっかりとはめ込まれるようにする。

◎底面の前足や後ろ足の輪郭は、好みでつけてもつけなくてもOK。

◎全体に盛る羊毛の長さは、手芸綿で作った猫の原型に合わせて切っていく。

中級編

“香箱座り”を作る

頭部を作る

手芸綿を刺し固めて作る顔に、口まわり、目、後頭部、耳をつけてから、羊毛や羊毛綿を頭部全体に盛りつけます。猫らしい丸みのある顔つきを目指しましょう。

顔

1 型紙を参考に手芸綿をニードルで鏡餅状に刺し固め、顔のベースを作る。

2 手芸綿で直径約1cmのボール型を4個作る。ニードルで刺してなじませ、口まわりを形作る。

3 2を顔のベースにニードルで刺してなじませる。隙間があれば手芸綿で補強する。

4 プラスチックアイを貼りつける場所に鉛筆で直径約7mmの円形の印をつける。

5 印をつけた部分をハサミで深さ約5mmにくり抜き、プラスチックアイを貼りつける穴を開ける。

6 くり抜いた目の穴の底が平らになるようにニードルで刺す。

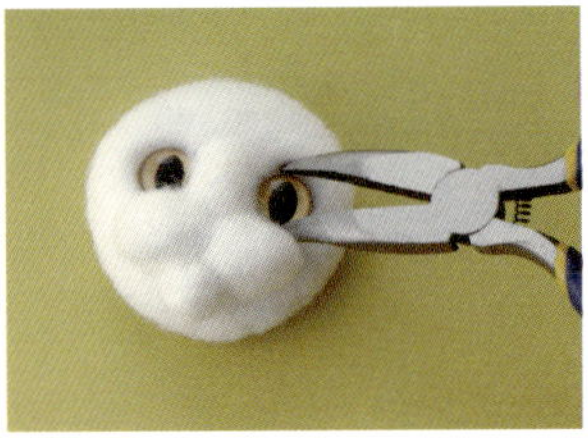

7 プラスチックアイの裏に両面テープを貼り、ニッパーではさんで目の穴に押し込むように貼りつける。

8 上まぶたの位置に手芸綿を盛り、ニードルで刺してまぶたを形作る。

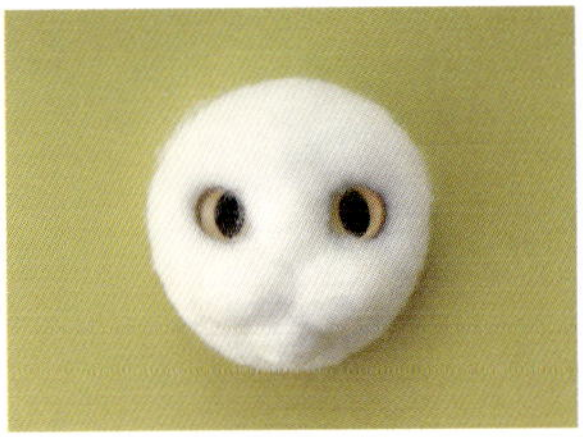

9 左右のまぶたを形作り、顔が完成。

後頭部

10 型紙を参考に手芸綿をニードルで刺し固め、半球状の後頭部のベースを作る。顔の裏側に合わせ、つながりを確認する。

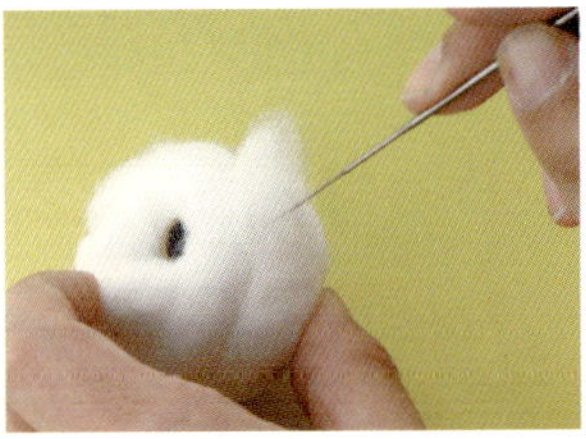

11 隙間に手芸綿を足しながら、後頭部と顔が一体化するようにニードルで刺す。

12 耳のない状態の頭部が完成したところ。

☆P77の型紙を参照（コピーして手元に置いておくとよいでしょう）

耳

13 型紙を参考に手芸綿で三角錐型（P21参照）を作り、ニードルで刺し固めて耳の形にする。

14 13を頭部にニードルで刺しつけ、一体化するようになじませる。

15 左右の耳がついたところ。

羊毛盛り

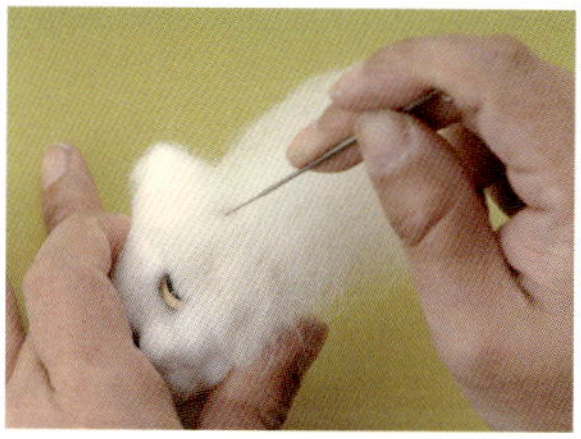

16 羊毛（白）を左ほおから後頭部まで包み込むくらいの長さに切って盛り、左ほお部分をニードルで仮止めする。

17 羊毛の先端を後頭部に巻き込み、ニードルで仮止めする。

18 右ほお、額、下あごにも同様に羊毛を切って盛り、ニードルで仮止めする。

19 仮止めした羊毛をニードルで刺しつけたところ。

20 上あごには羊毛綿（P23参照）を盛り、ニードルで刺す。

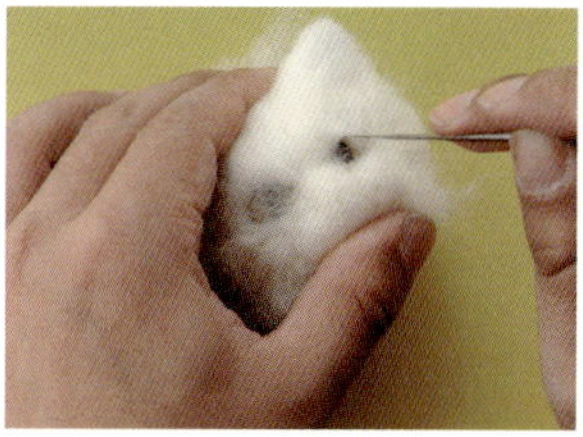

21 耳の下から上まぶたにかけても羊毛綿を盛り、ニードルで刺す。

22 耳に羊毛綿を巻き込むように盛り、ニードルで刺す。

23 羊毛の盛りつけがすべて終わったところ。

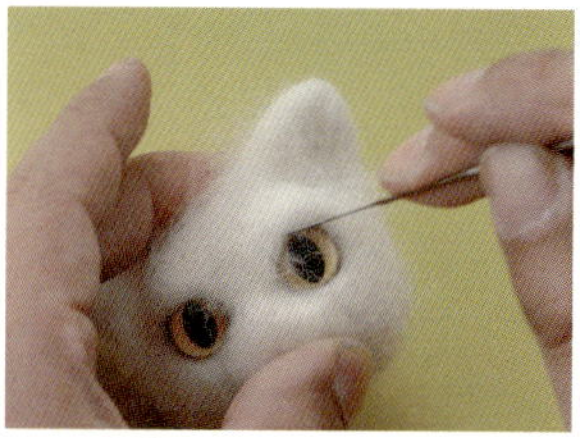

24 全体にニードルを刺して調整する。目のまわりは羊毛綿を目のふちに沿って刺し入れ、まぶたの盛りあがりを形作る。

中級編

“香箱座り”を作る

胴体を作る

手芸綿でコッペパン型を作り、胴体の原型とします。
これに前足、後ろ足をつけ、さらに手芸綿と羊毛を盛り重ねて、
胴体のふっくら感を再現していきます。

胴体原型

1 型紙を参考に手芸綿をニードルで刺し固めて幅約７cmのコッペパン型を作る。

2 頭部と前足がつく側を指で強く押してへこみを作り、ニードルで刺し固める。

3 大まかな胴体の原型ができたところ。

前足／後ろ足

4 型紙を参考に手芸綿をニードルで刺し固め、直径約1.5cm・長さ約11cmの筒状にした前足２個を作る。

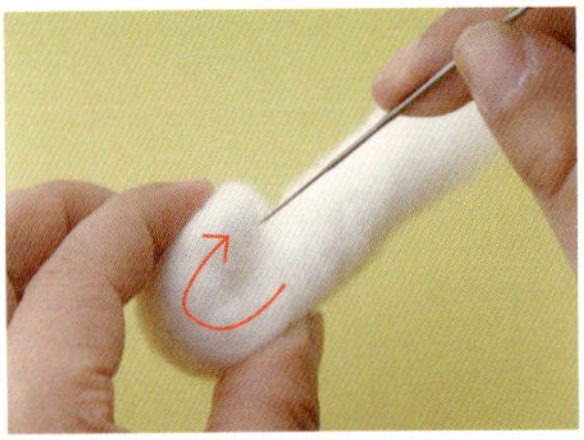

5 先端を折り曲げて、ニードルで刺し固める。

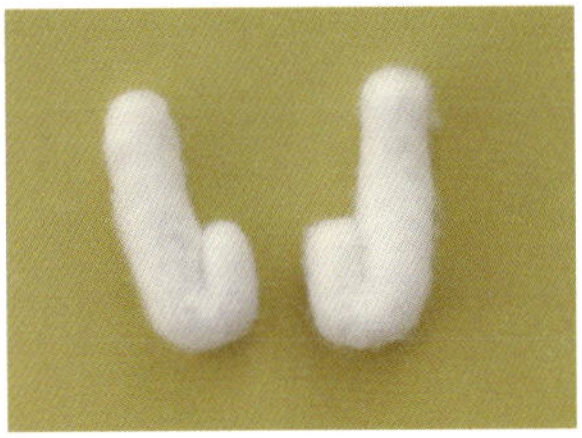

6 前足のベースができたところ。

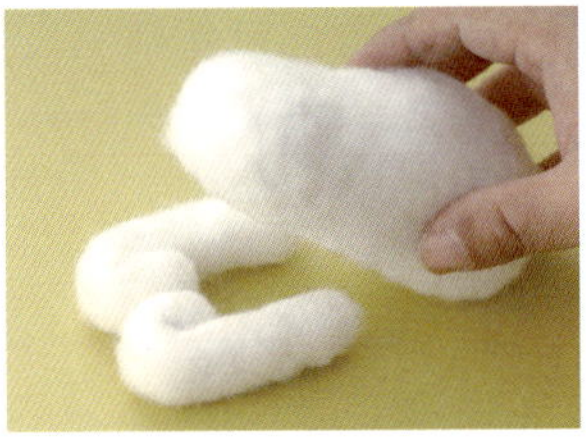

7 6を並べて上から胴体原型を置き、前足の位置を決める。

8 前足のベースを胴体原型にニードルで刺しつけ、一体化するようになじませる。

9 胴体原型に手芸綿を盛ってニードルで刺し、後ろ足の太ももや膝の盛りあがりを表現する。

10 後ろ足の膨らみができたところ。これを両側に作って胴体のベースが完成。

羊毛盛り

11 胴体の左側面に羊毛（白）を合わせ、胸から臀部を覆うくらいの長さに切る。

12 11の長さの羊毛を全部で４束用意する。

☆P77の型紙を参照（コピーして手元に置いておくとよいでしょう）

13 カットした羊毛を胴体の左側面に盛り、臀部側に羊毛の先が余るようにニードルで仮止めする。

14 右側面にも同様に羊毛を盛り、ニードルで仮止めする。

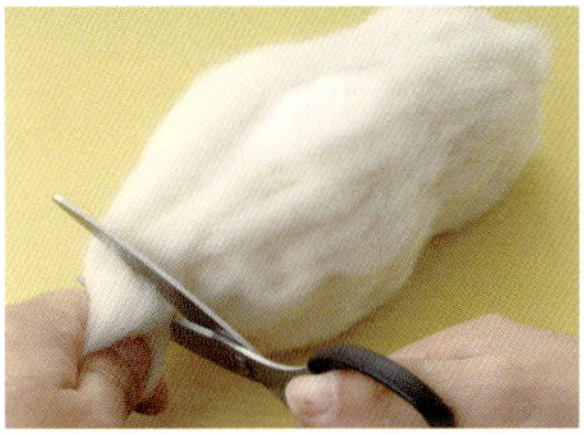

15 臀部側の羊毛が余った部分をハサミで切る。

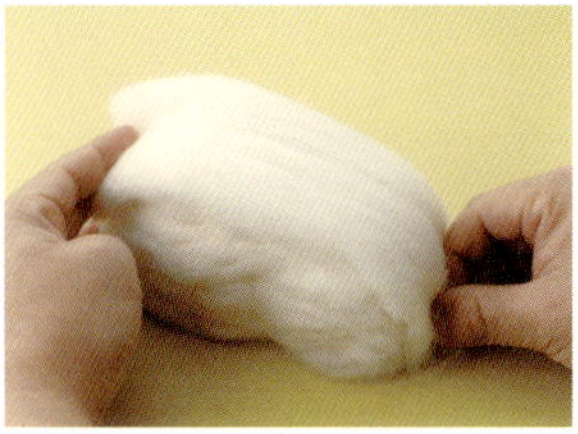

16 羊毛を胴体の背中に盛り、胸側に羊毛の先が余るようにニードルで仮止めする。

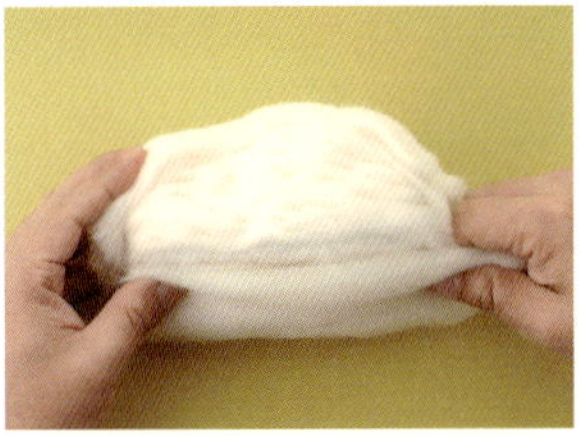

17 羊毛を胴体の底面に盛り、臀部側にはみ出した羊毛の先を切ってニードルで仮止めする。

18 胴体の底面を形作るために、左右の側面に仮止めした羊毛の底面に接したところを少しはがす。

19 はがした部分を底面側に引っ張り、底面を包むようにニードルで刺す。

20 羊毛をカットした臀部側をニードルで刺す。

21 胴体のベースに羊毛が盛りつけられたところ。

調整

22 全体をニードルで刺し、丸みのある肉づきに調整する。

23 香箱座りをした状態の前足と後ろ足の輪郭をニードルで底面に形作る。

24 前足と後ろ足の輪郭ができたところ。

中級編

“香箱座り”を作る

接合／仕上げ

頭部を胴体の上に角度を決めて合わせ、ニードルで一体化するようになじませます。ここではグレーと黒の羊毛を盛り重ねて、縞模様の柄に仕上げていきます。

接合

1 胴体の上に頭部を合わせ、頭部の位置や角度を決める。

2 位置が決まったら、頭部の羊毛を胴体にニードルで刺し、仮止めする。

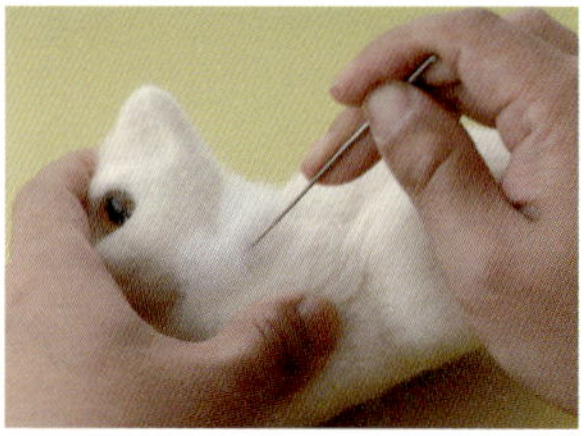

3 頭部と胴体の隙間に手芸綿を足して補強し、ニードルで刺す。

4 後頭部から肩甲骨を覆う長さに羊毛を切り、補強した手芸綿を隠すように盛る。

5 4をニードルで刺す。

6 首筋にも同様に羊毛を盛り、ニードルで刺して頭部と胴体のつながりが自然に見えるように調整する。

柄入れ

7 柄入れのためのグレーと黒の羊毛を好みの長さに切る。

8 グレーの羊毛を臀部に盛り、ニードルで刺す。

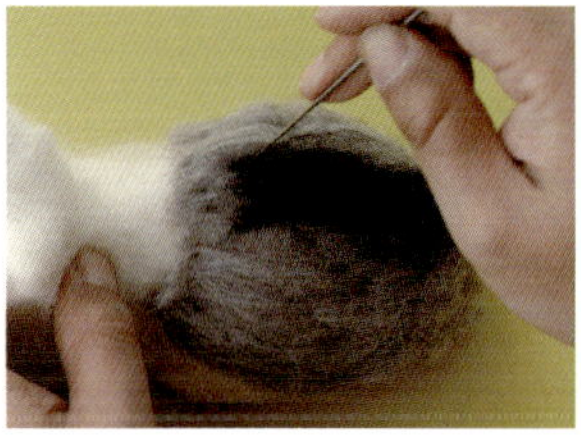

9 さらに、上から黒の羊毛を盛り、ニードルで刺す。

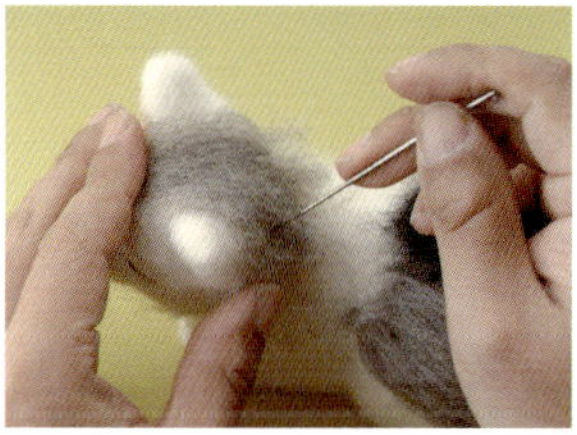

10 後頭部にグレーの羊毛を盛り、ニードルで刺す。

11 顔にグレーの羊毛を盛り、ニードルで刺す。

12 グレーと黒の羊毛が盛りつけられたところ。

P78の型紙を参照（コピーして手元に置いて使いましょう）

あごの下の補強

13 鼻と耳にピンクの羊毛を盛り、ニードルで刺す。

14 羊毛（白）を長さ約5cmに切って、イチョウ形に広げる。

15 **14** をあごの下に盛る。

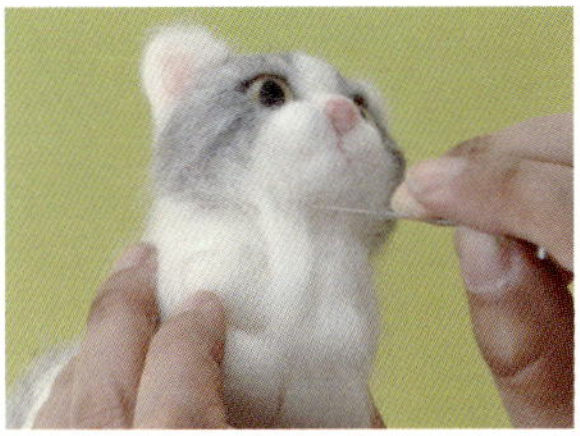

16 あごから胸にかけてニードルで刺す。

仕上げ

17 イチョウ形の羊毛を使うと、顔のラインを変えないまま胸部のボリュームがだせ、自然な感じを表現できる。

18 引っかき棒で胴体の毛並みを脇腹から臀部に向けて整える。

19 臀部の後ろに毛先が飛び出るように引っかく。

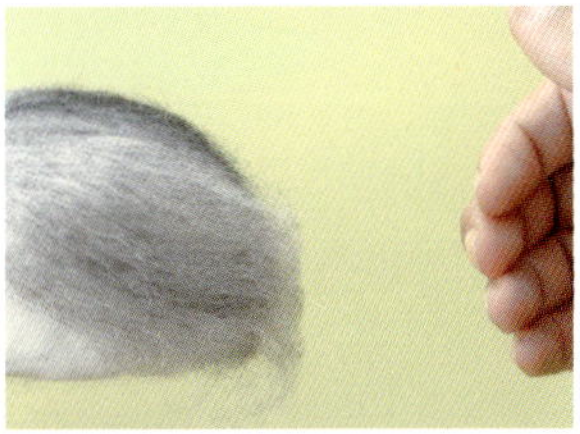

20 毛先が5cmくらい飛び出るまで引っかき伸ばす（毛並みがきれいに仕上がる目安）。

21 飛び出た毛先は臀部の下に巻き込み、ニードルで刺す。

column

首の接合が苦手な人は首輪で補強もOK

この作品では頭部と胴体を接合する際に手芸綿を使って補強をしています。頭部の角度を決めかねる場合は、仮止めのままで補強をせず、紐などを巻いて固定するのもいいでしょう。

猫人形作家のつぶやき

羊毛フェルトで良い猫人形を作り上げるには、それ相応の時間が必要になります。 その時間を猫とひとことひとこと語り合うように作ることができれば、きっと傑作が誕生すると思っています。

もうひとつ言えるのは、モデルとなる猫の姿をそのまま作るようにすることです。自分の判断で目を大きくするなど、ぬいぐるみのように誇張してはいけません。徹底的にイメージ、先入観、理想を排除して、対象となる猫とのシンクロ率を上げることが一番大切です。その先には、果てしなく続くリアル猫人形作りの世界があります。

Lesson 3

上級編

“歩く猫” を作る

上級編

“歩く猫”を作る

動きやしぐさをリアルに再現 原寸大で作る猫人形の最終形

本物の猫と同じような大きさで作り、顔の表情もリアルに仕上げます。
羊毛を何度も重ね合わせることで、自然でふっくらとした毛並みを再現。
胴体と足、しっぽに針金の芯を使うことで、動きやしぐさも自在に表現できます。

羊毛綿を重ね合わせて作る耳
背中は緩やかなカーブを描くように仕上げる
骨格を元にした肉づけで、より猫らしさを表現
猫手には指の溝も忠実に再現

[制作の流れ]

1
頭部のベースを作る

2
猫耳を
頭部のベースにつける

3
頭部に羊毛を
盛りつける

4
胴体と足を作る

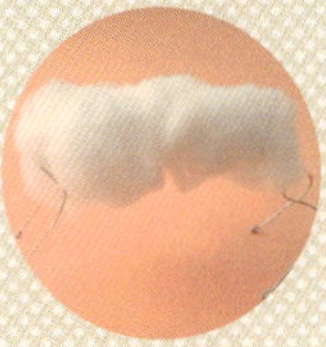

5
胴体と足に
羊毛を盛りつける

6
しっぽを作る

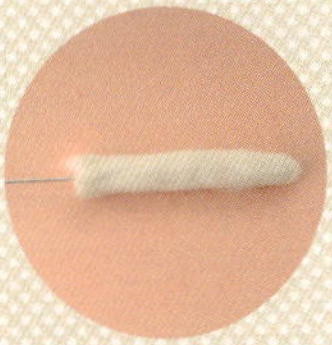

7
猫手を作って
肉球をつける

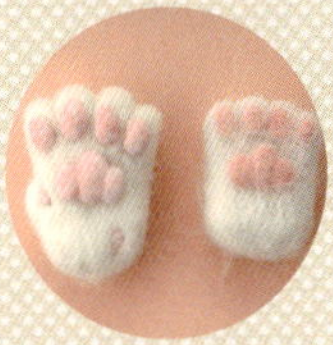

8
胴体に頭部、猫手、
しっぽを接合して仕上げる

正面

後面

側面

背面

[材料]（1体分）

羊毛（白）	80g
羊毛（ピンク）	1g
手芸綿	100g
針金（50cm）	2本
針金（25cm）	1本
毛糸	10m
プラスチックアイ（直径1.5cm）	2個

[制作の注意点]

◎羊毛を盛りつける際は屋根瓦や魚のうろこのように重ね合わせる。

◎上まぶたの形成は猫の喜怒哀楽の表情を豊かにするうえで非常に重要。

◎耳は羊毛綿をニードルで刺し固めて形作る。羊毛や手芸綿であいまいな形に作り、ハサミで耳の形に整えようとすると、ほつれてしまう。

頭部を作る

手芸綿で作った頭部のベースに、羊毛を何度も盛り重ねることで猫らしいふっくらとした肉づきを表現します。とても時間と手間のかかる作業ですが、これがリアルさを出す秘訣です。

顔

1 型紙を参考に手芸綿をニードルで刺し固め、厚さ約3cmの鏡餅状にする。これが顔の原型になる。

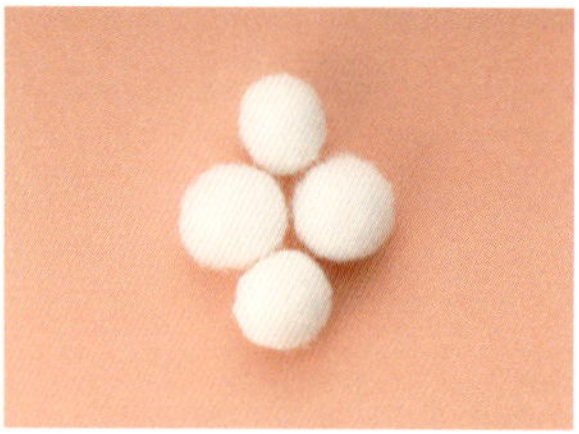

2 手芸綿で直径約2cmのボール型を4個用意する。

3 ニードルを刺してなじませ、口まわりを形作る。

4 **3**を**1**の上に置き、口まわりの位置を決める。

5 口まわりをニードルで顔に刺しつけ、さらに手芸綿を周囲に足して顔となじませる。

6 顔に口まわりがついたところ。

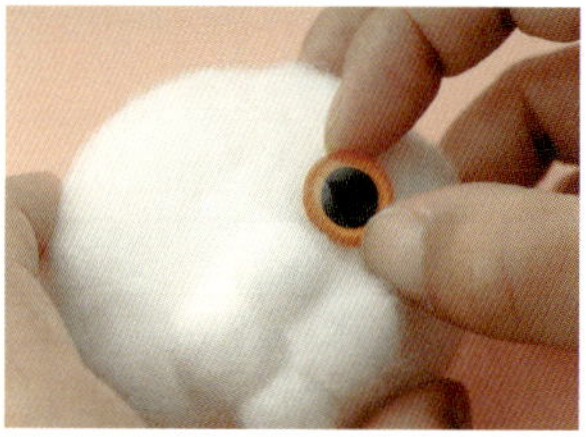

7 プラスチックアイを両面テープで顔に貼りつける。

8 少量の手芸綿を左ほおの位置に盛り、ニードルで刺してほおの膨らみをだす。

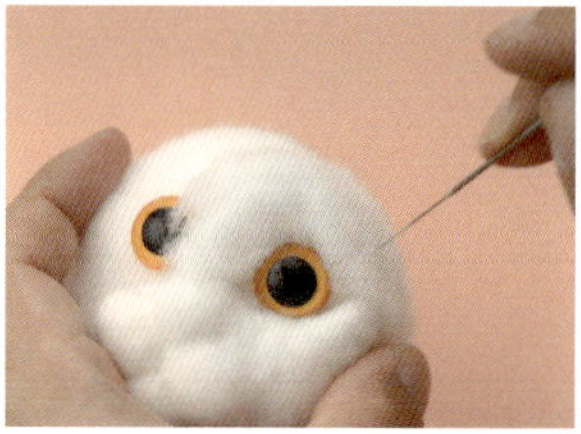

9 額、鼻筋にも少量の手芸綿を盛り、ニードルで刺して膨らみをだす。

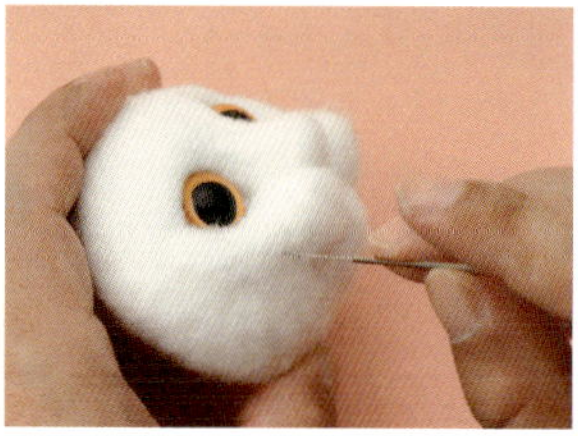

10 右ほおにも同様に手芸綿を盛り、ニードルで刺して顔全体を調整する。

11 顔の正面ができたところ。

後頭部

12 型紙を参考に手芸綿をニードルで刺し固めて半球状にする。

☆P78・79の型紙を参照（コピーして手元に置いて使いましょう）

13 12を手で押し固めて半球状に形作る。これが後頭部のベースになる。

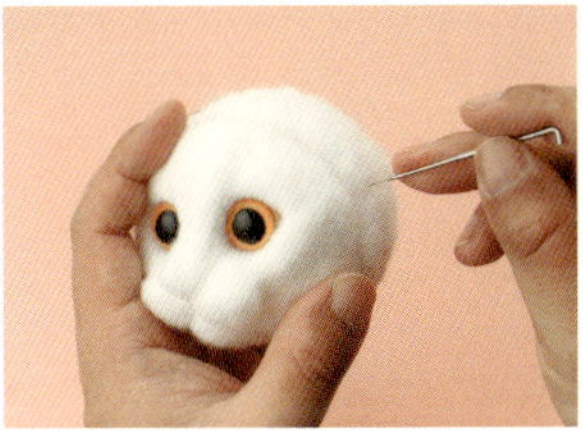

14 後頭部を顔の後ろに合わせ、隙間に手芸綿を足しながらニードルで刺し、全体をなじませる。

15 顔に後頭部がついたところ。

耳

16 幅約3cmの綿状の羊毛（羊毛綿）を14個用意する（P23参照）。

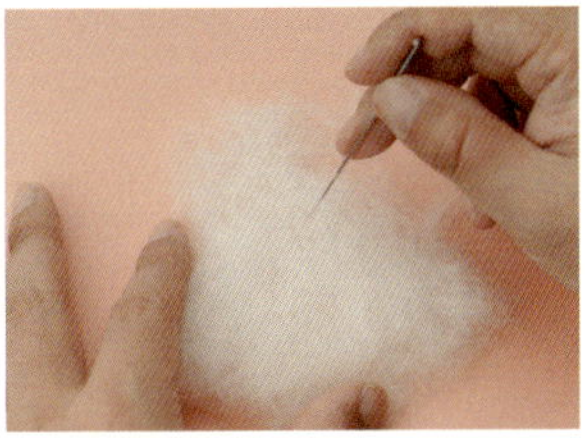

17 耳の型紙を参考にしながら、耳の形になるように5個を重ね合わせ、ニードルで刺してつなげていく。

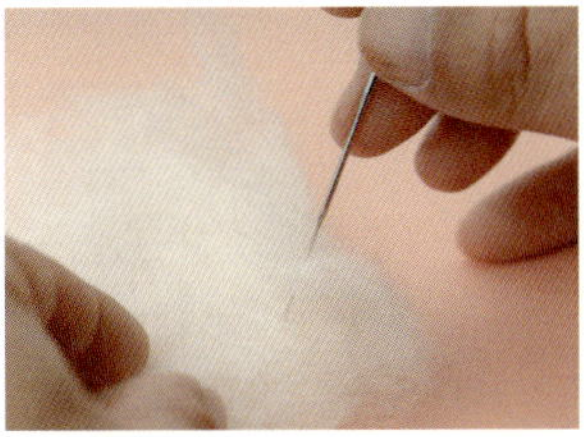

18 耳の形からはみ出た部分を内側に折り込み、ニードルで刺し固めながら耳のふちを形作る。

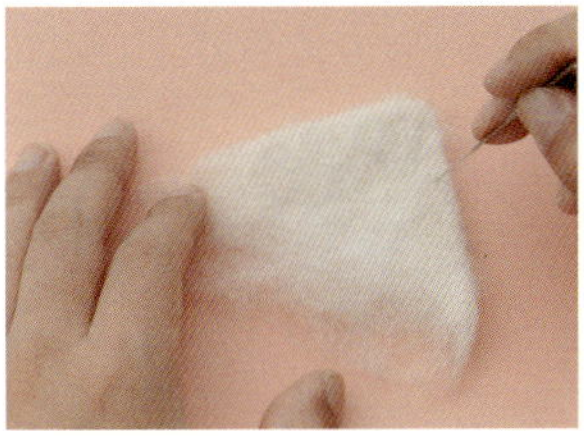

19 さらにニードルで刺し固め、耳の2つの辺を整える。

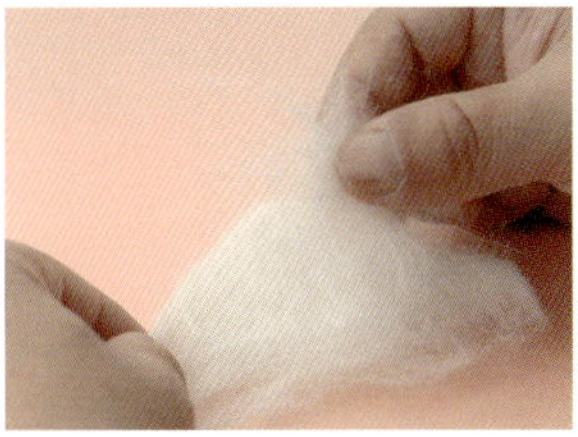

20 耳のふちが厚くなるので、中央に羊毛綿を2個足してニードルで刺す。加減は光が透けない程度の密度に。

21 耳が完成したところ。これを同じようにもう1個作る。

耳をつける

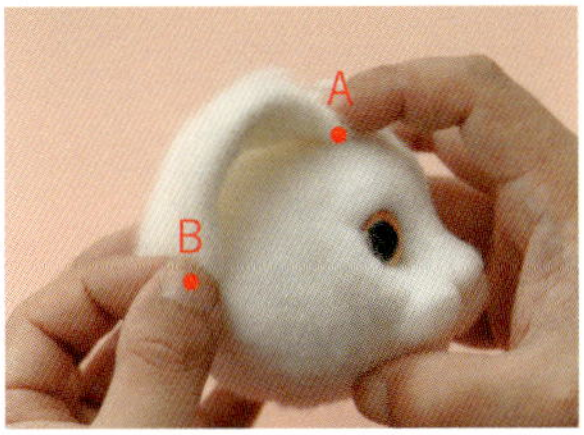

22 耳をつける位置は、写真のA（顔側）、B（後頭部側）を目安に。

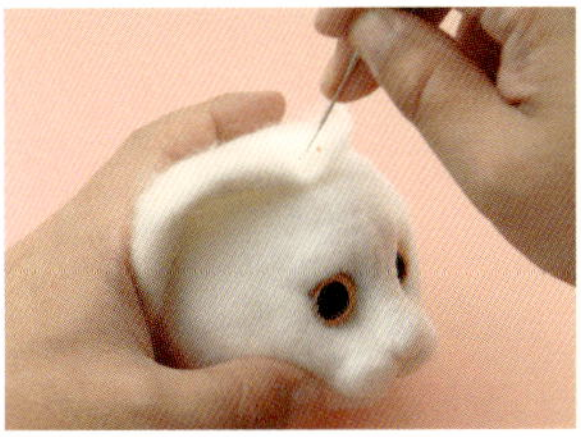

23 耳をニードルで頭部に刺しつけ、一体化するようになじませる。

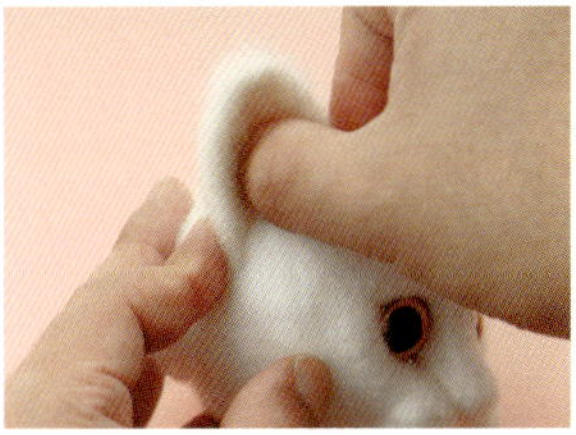

24 刺しつけるときに耳の中に親指を入れ、耳の形に奥行きがでるようにする。

羊毛の盛りつけ

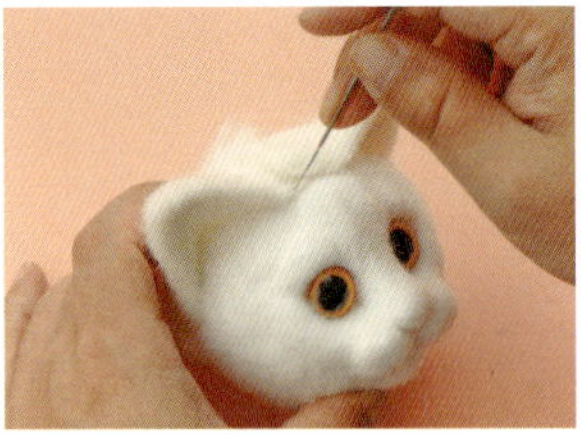

25 もう片方の耳も同様に頭部につける。

26 頭部に耳がついたところ。

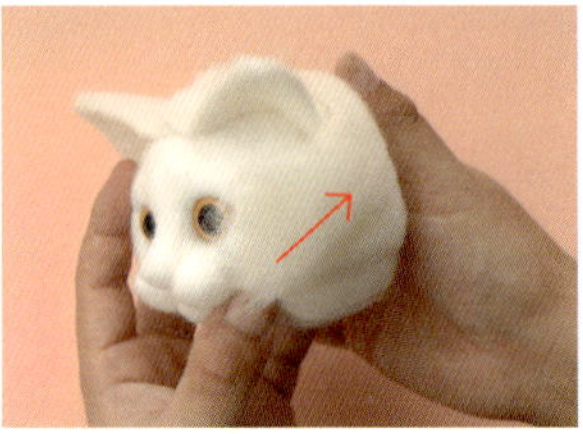

27 長さ約10cmに切った羊毛（白）を毛並みが顔の中心部から後頭部側に向くように、左ほおに置く。

28 羊毛をニードルで刺して、なじませる。

29 頭部をひっくり返して、右ほおにも同様に長さ約10cmの羊毛を盛り、なじませる。

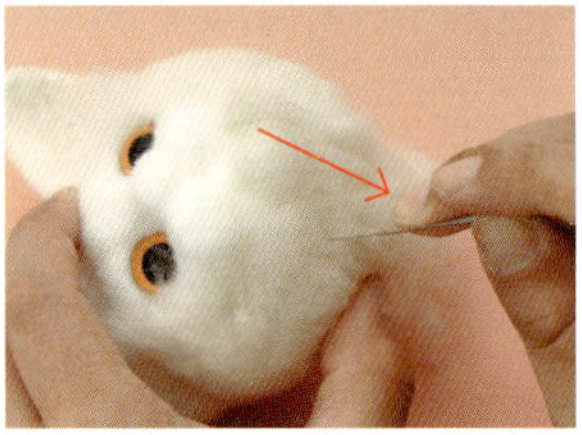

30 あごの下に長さ約9cmの羊毛を盛り、なじませる。

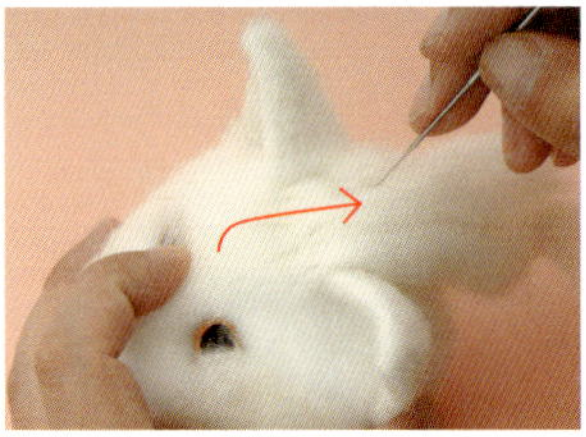

31 耳の根元に余った羊毛をなじませてから、額から後頭部にかけて長さ約9cmの羊毛を盛り、ニードルで刺して、なじませる。

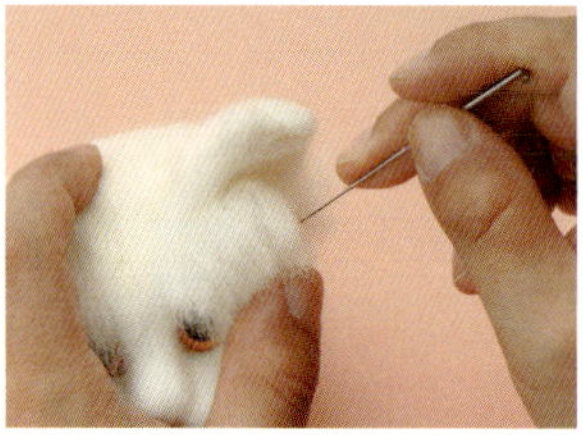

32 左右の目から耳の根元に長さ約4cmの羊毛を盛り、ニードルで刺して、なじませる。

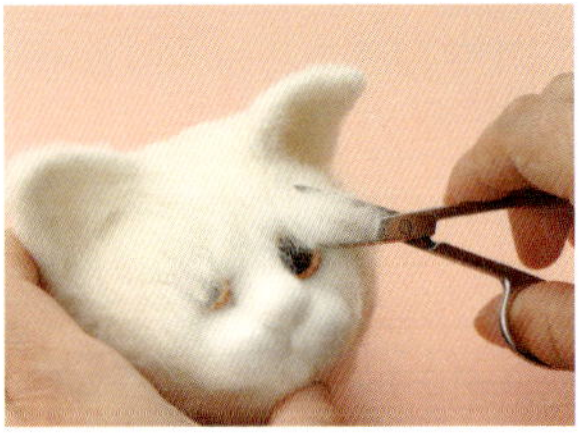

33 目のまわりに余分な羊毛が残るので、ハサミで切り取る。

34 ここまでで、羊毛を盛りつけた頭部のベースが完成。

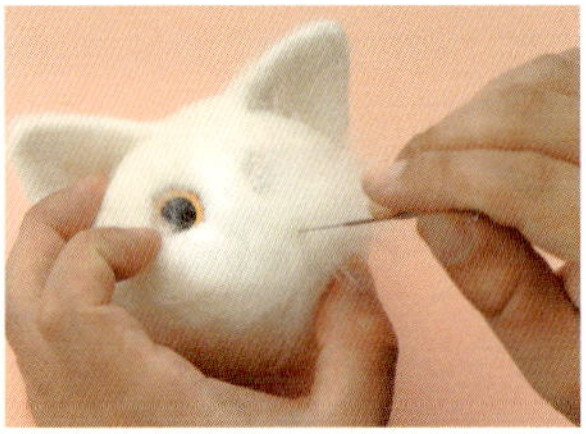

35 口まわりの左上あごに羊毛綿を盛り、ニードルで刺してなじませる。

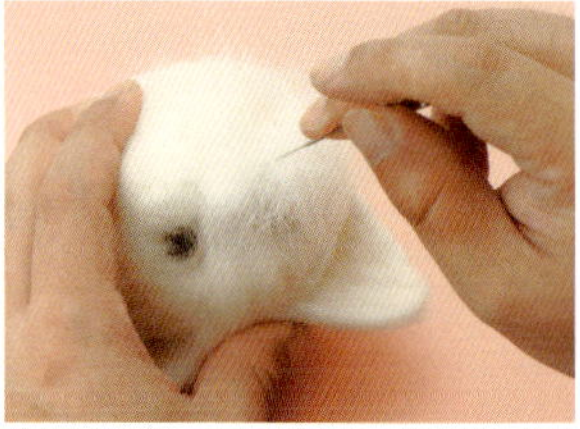

36 ひっくり返して、右上あごにも同様に羊毛綿を盛りつける。

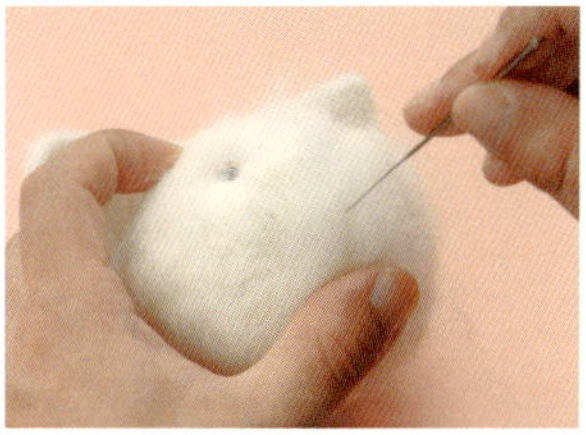

37 下あごにも同様に羊毛綿を盛りつける。

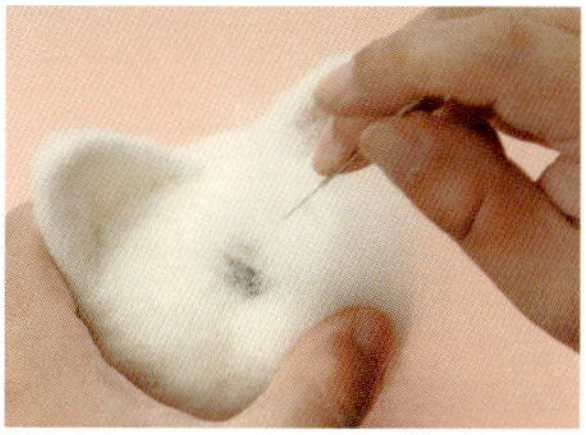

38 鼻と鼻筋に羊毛綿を盛り、ニードルで刺す。

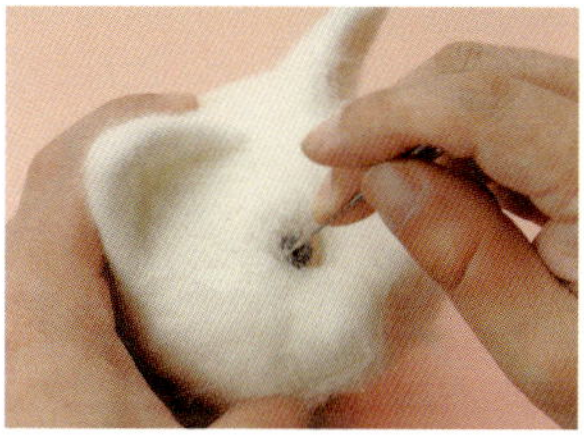

39 目のまわりの余った羊毛綿は、ニードルで目のふちに沿って刺し込む。

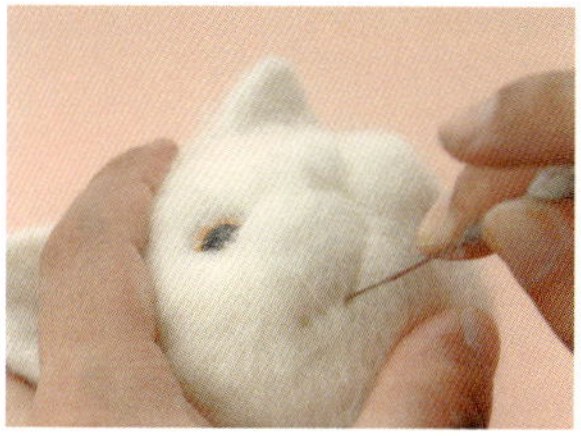

40 口や鼻の輪郭がくっきりとするようにニードルで刺し、溝を深くしていく。

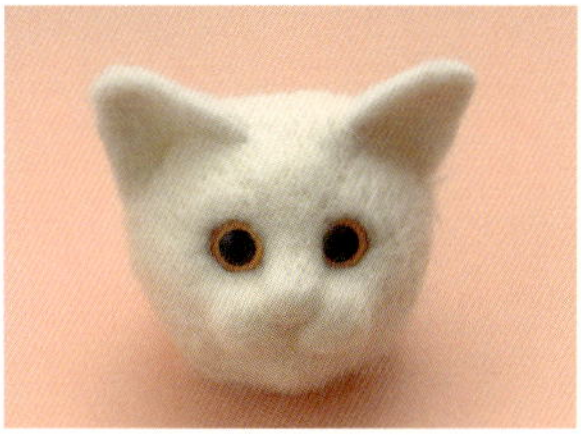

41 頭部全体にひと通り羊毛を盛りつけ、猫らしい顔つきになったところ。

まぶた

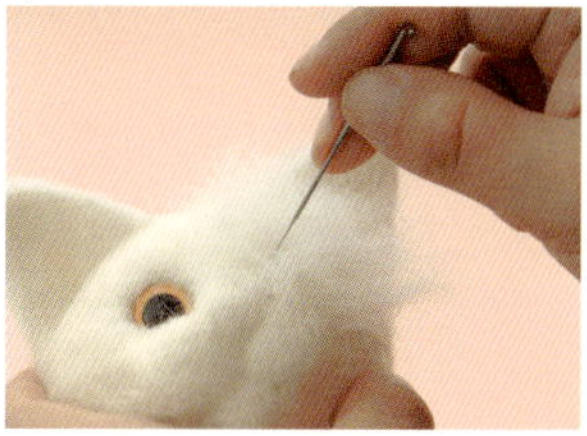

42 左目を覆うように羊毛綿を上からかぶせ、目のまわりをニードルで刺す。

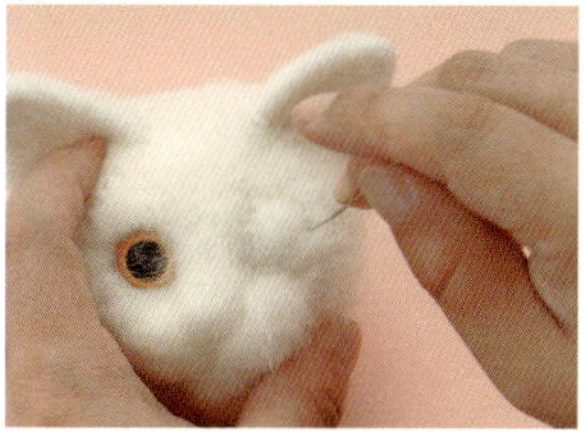

43 左目を覆ったところ。

44 両目を同様に行う。両目がふさがった状態。

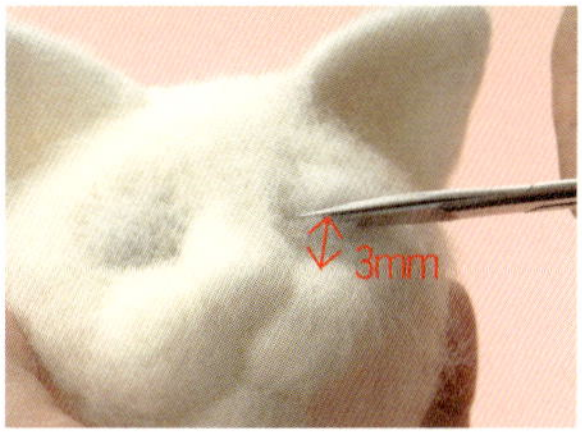

45 左目の下のふちから約3mmのところに、ハサミを入れていく。右目も同様に。

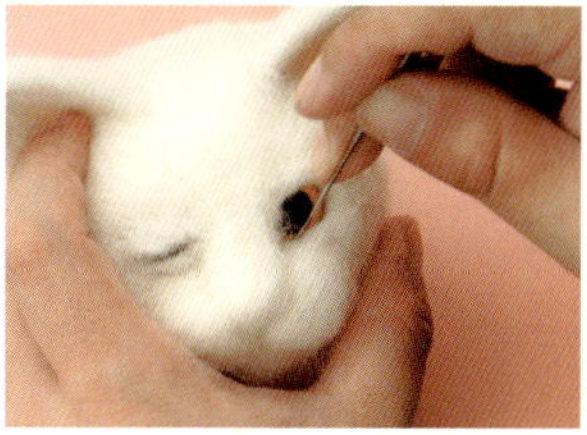

46 上下に分かれた羊毛綿を目のふちに沿うようにニードルで刺し込む。

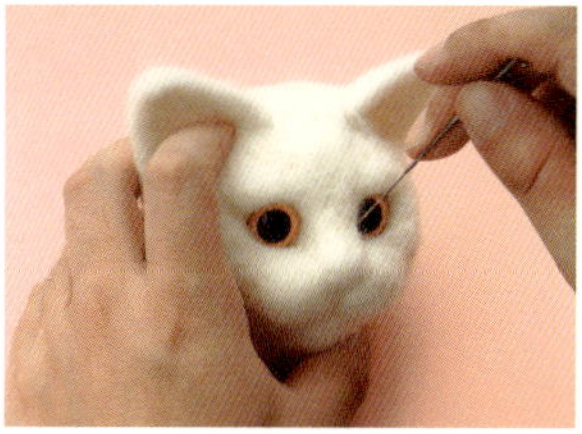

47 上まぶたが盛りあがるように整える。両目も同様に行う。

顔の仕上げ

48 顔全体を見渡して肉づき、輪郭などをニードルで調整して、頭部が完成。

上級編

“歩く猫”を作る

胴体を作る

針金で作る芯の上から手芸綿と羊毛を何度も盛り重ね、胴体の原型を作ります。太ももや肩甲骨《けんこうこつ》など、筋肉の隆起がリアルさのポイント。しっぽや猫手も羊毛で仕上げます。

芯

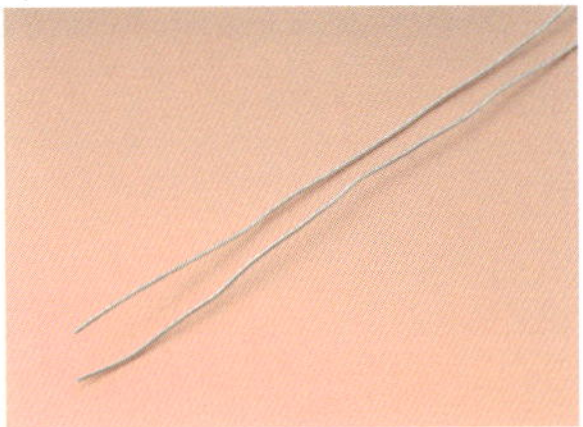

1 ニッパーで長さ50cmに切った針金を2本用意する。

2 それぞれ前後15cm程度のところで折り曲げる。

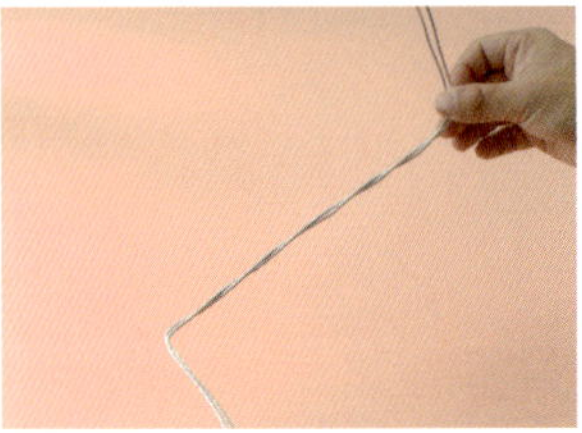

3 曲げた2本の針金を5回程度ねじって、胴体部分を組み合わせる。

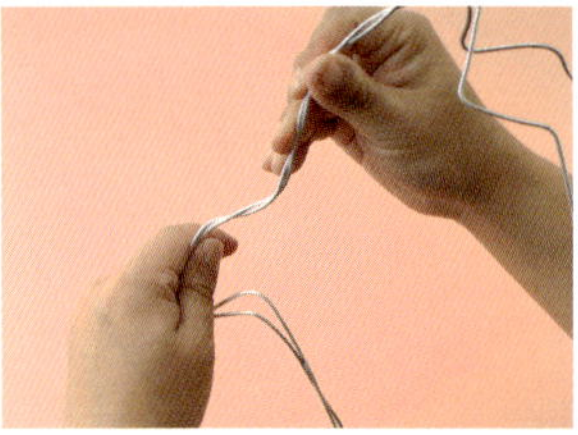

4 完成したときの胴体と足のリアルな曲線をイメージして、背中や足の間接部分となる部位を曲げる。

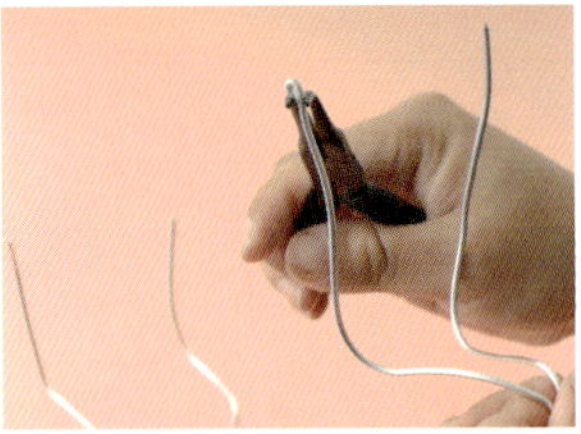

5 針金の足先になる部分は、手芸綿を盛りつけるときにひっかからないようにペンチで内側に曲げておく。

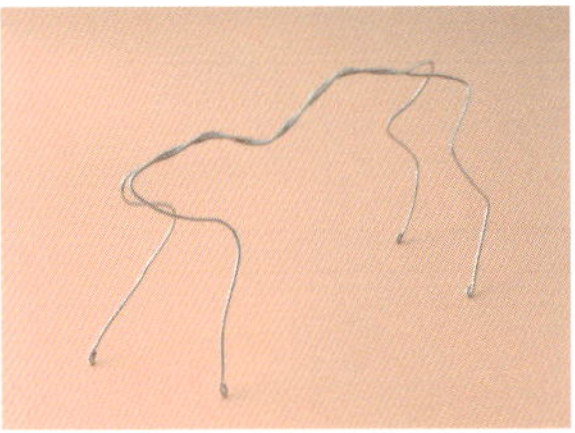

6 胴体と足の芯が完成したところ。

手芸綿を盛る

7 芯の胴体部分を包むように手芸綿を盛りつける。

8 手芸綿の上から毛糸を巻きつけ、手芸綿を固定する。

9 胴体がある程度の太さ（直径約5cm）になるまで手芸綿を盛り、毛糸で巻きつける作業を繰りかえす。

10 胴体と同様に前足にも手芸綿を盛り、上から毛糸を巻きつける。残りの足も同様に、この作業を繰りかえす。

11 胴体と足に手芸綿の盛りつけが終わったら、巻きつけた毛糸と手芸綿の間に毛糸の端を差し込み、止める。

肉づけ

12 さらに全体に手芸綿を盛り、ニードルで刺す。

☆P78・79の型紙を参照（コピーして手元に置いて使いましょう）

13 ニードルで全体を刺し固め胴体を仕上げていく。

14 表面がなめらかに仕上がったところ。

15 臀部と後ろ足の部分に手芸綿を足して盛り、ニードルで刺して立体感をだしていく。

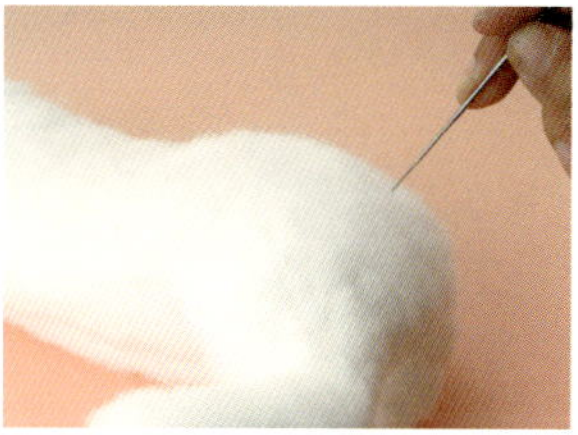

16 臀部と後ろ足の形が整ったところ。

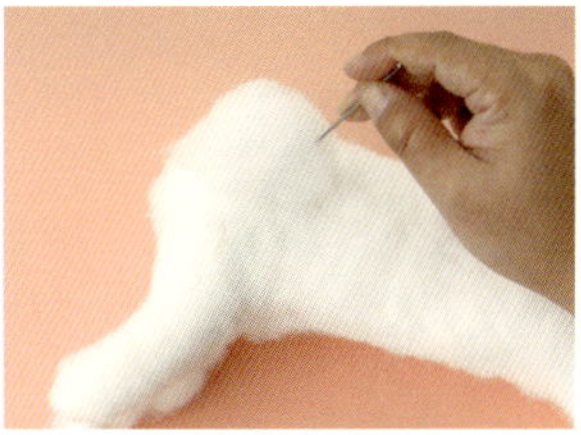

17 前足の上腕から肩にかけても同様に手芸綿を盛り、ニードルで刺して肩甲骨の盛りあがりを表現する。

18 足と肩甲骨の肉づきが仕上がって胴体のベースが完成。全体を見て、不自然なところがあったら手芸綿を足して調整する。

羊毛を盛る

19 長さ10cmに切った羊毛（白）を左右に少し広げて伸ばす。

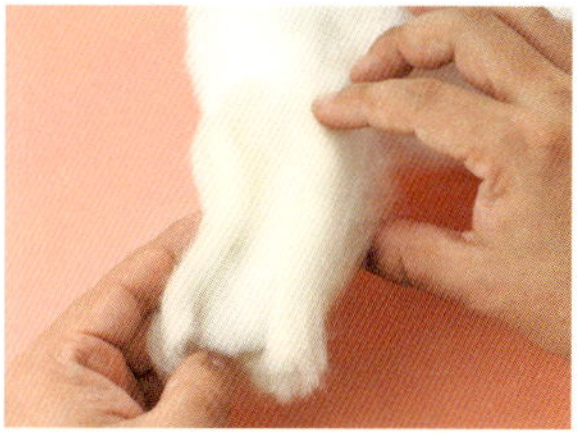

20 足の膝下からつま先までを包むように**19**を巻きつける。

21 ニードルで刺してなじませる。

22 4本の足に羊毛を盛りつけたところ。

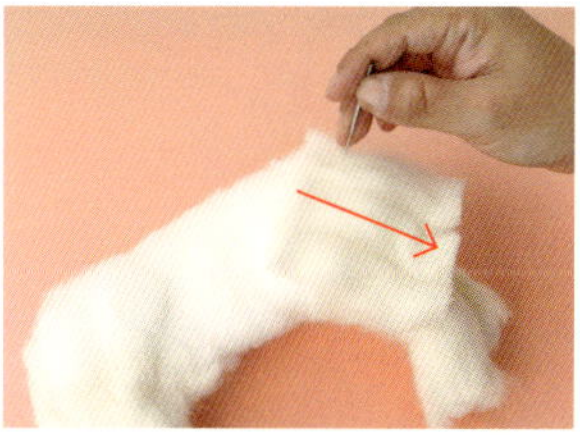

23 胴体全体に毛の流れを確認しながら羊毛を盛り、ニードルで仮止めしていく。まず、臀部左側面に羊毛を盛る。

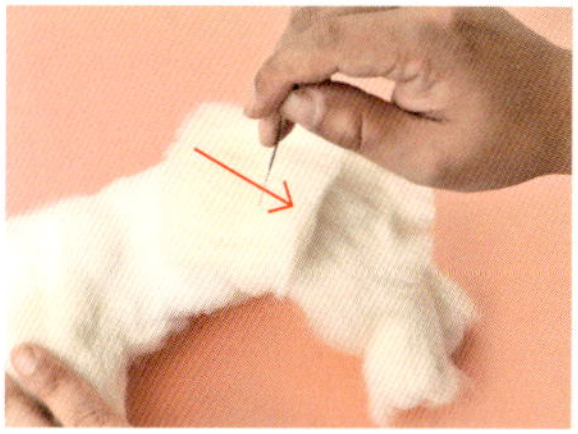

24 次に腰の左側面に羊毛を盛り、ニードルで仮止めする。

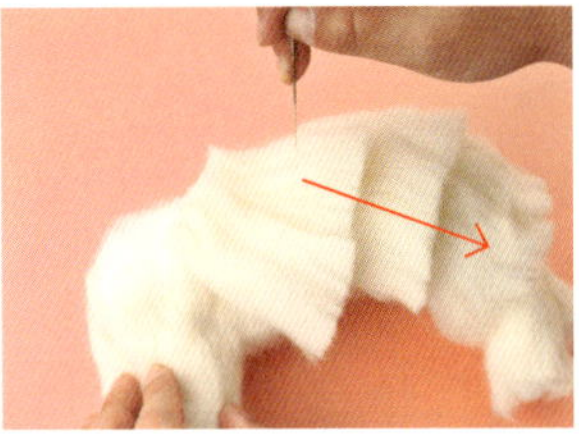

25 おなかの左側面に羊毛を盛り、ニードルで仮止めする。

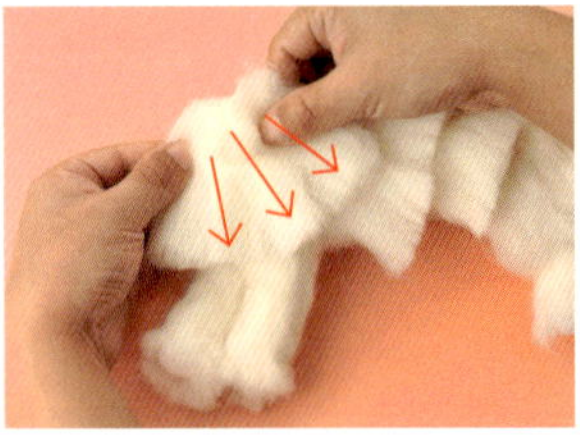

26 首の左脇には羊毛を扇形に広げて盛り、ニードルで仮止めする。右側面も同様に羊毛を盛りつける。

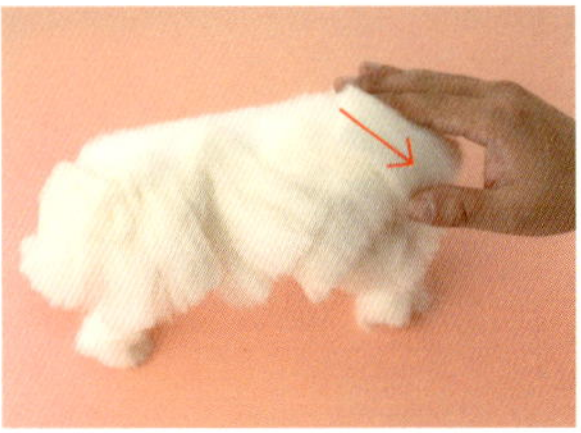

27 臀部の背中側に羊毛を盛り、ニードルで仮止めする。

28 背中の中央、そして背中前部に羊毛を盛り、ニードルで仮止めする。

29 首の上に羊毛を盛り、ニードルで仮止めする。

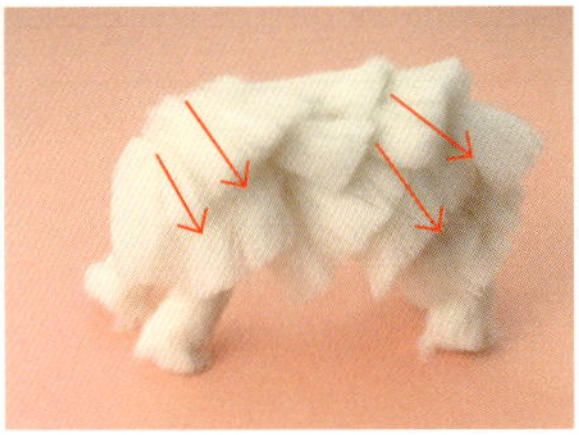

30 胴体全体に羊毛が盛りつけられたところ。

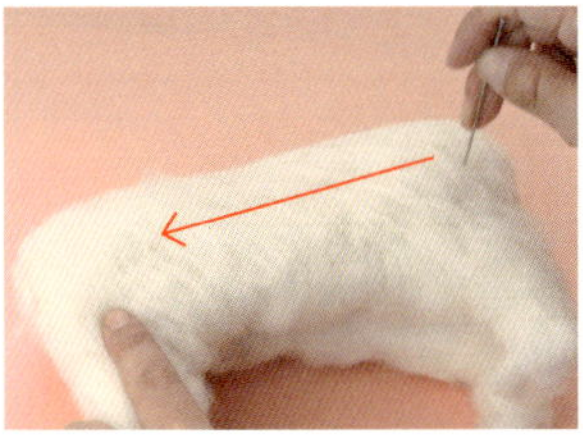

31 臀部から頭部に向かって順にニードルで刺し固める。

32 全体に羊毛をしっかり刺し固めて整ったところ。

しっぽ

33 手芸綿を用意する。

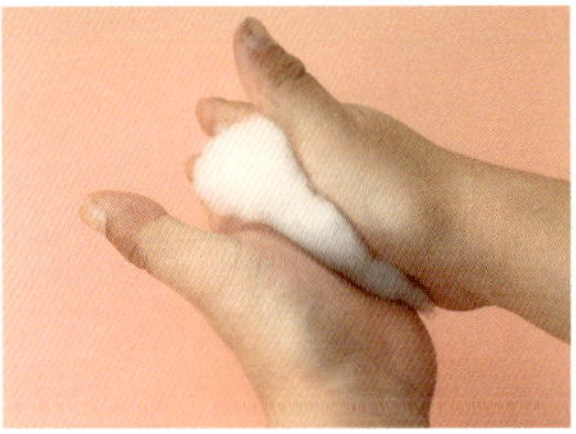

34 両手ではさんで丸め、細く伸ばす。

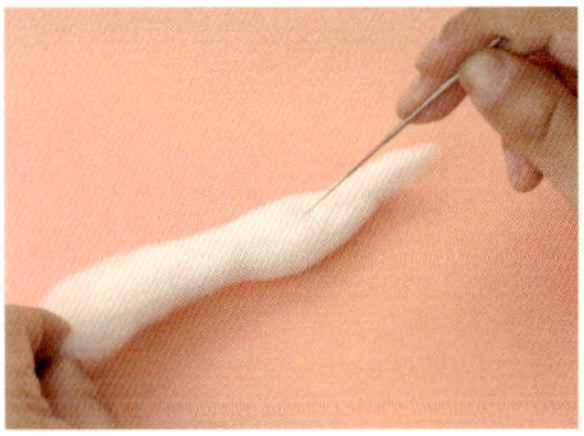

35 ニードルで刺し固める。

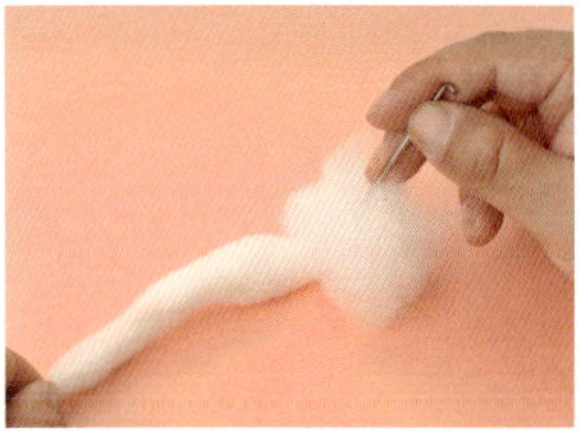

36 型紙を参考に手芸綿を加減してニードルで刺し固める。

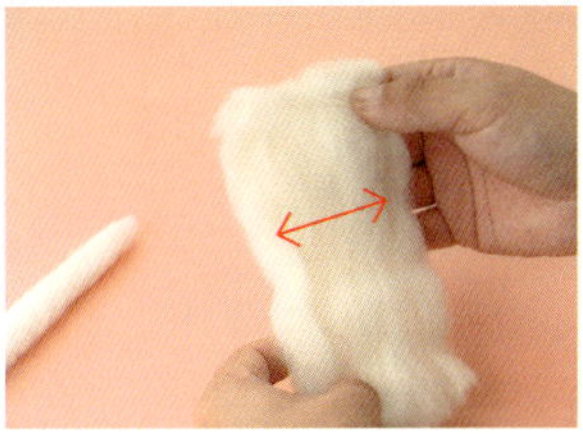

37 36より1cm程度長い羊毛を用意して、左右に薄く伸ばす。

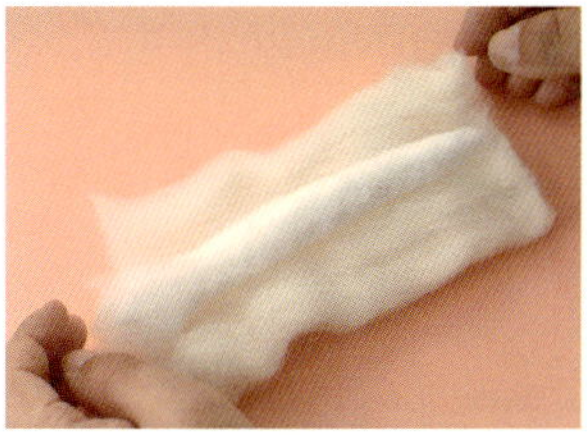

38 羊毛で36を包み込むように巻きつける。

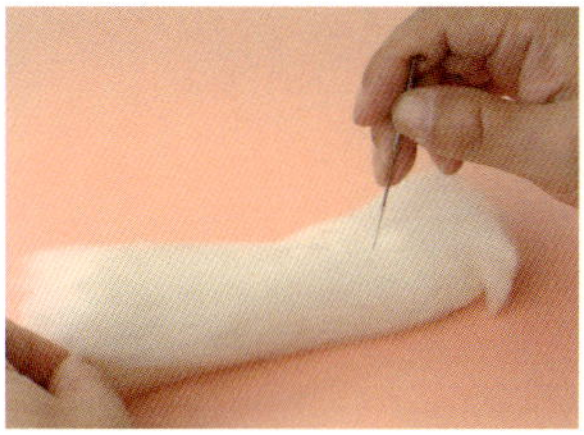

39 巻きつけた羊毛が内部の手芸綿になじむように、ニードルで刺す。

40 両端に羊毛が遊んだ部分ができるので、一方だけ先端を折り曲げる。

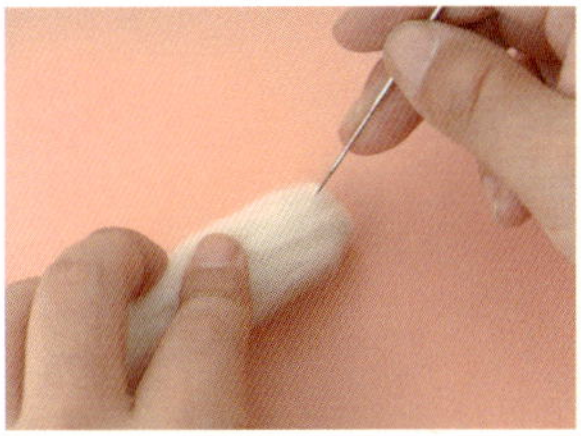

41 折り曲げたところをニードルで刺し固める。

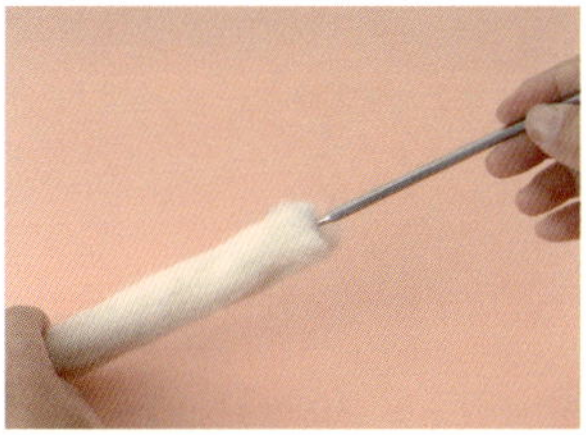

42 折り曲げたしっぽとは反対側の端で遊んだ羊毛をハサミで切り、断面に目打ちで深さ約3cmの穴を開ける。

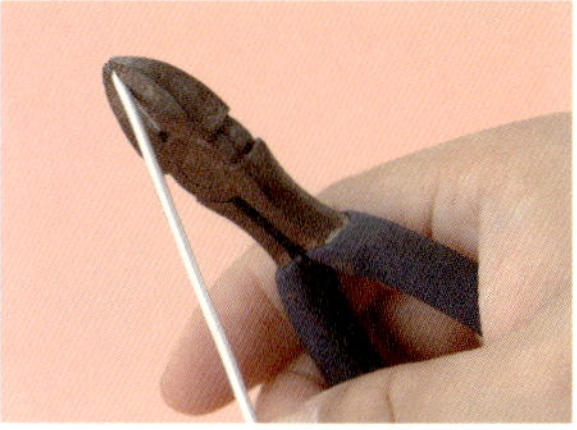

43 長さ約25cmに切った針金の先端をニッパーで斜めにカットし、ペンチではさんで先端をとがらせる。

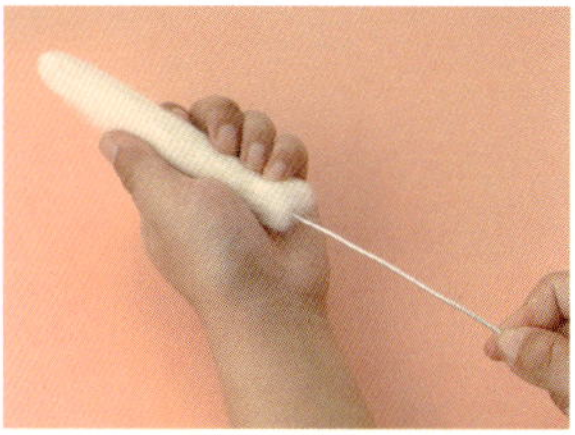

44 43をしっぽの穴に差し入れ、しっぽを回転させながら先まで差していく。針金が横から飛び出さないように注意。

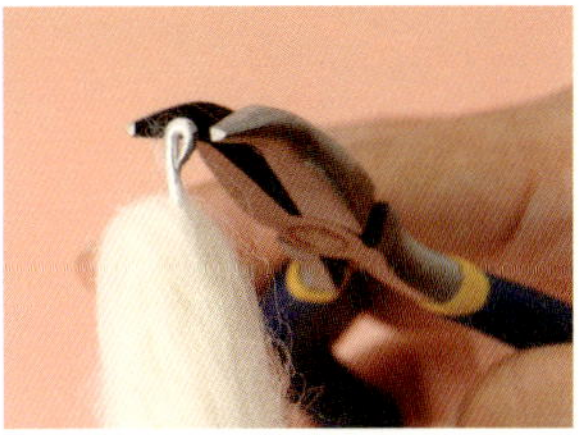

45 針金がしっぽの先から突き出たら、針金の先端をペンチで折り曲げてつぶす。

46 しっぽの先の毛先をハサミで切り開いてから針金の根本を手前に引っ張り、突き出た針金の先端を隠す。

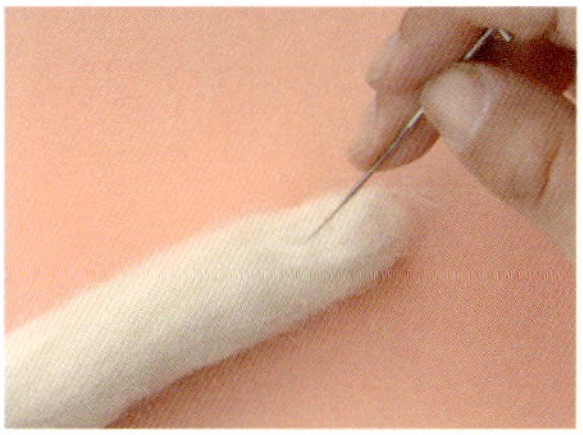

47 しっぽの先をニードルで刺し固める。こうすると、針金がしっぽの先から突き出さない。

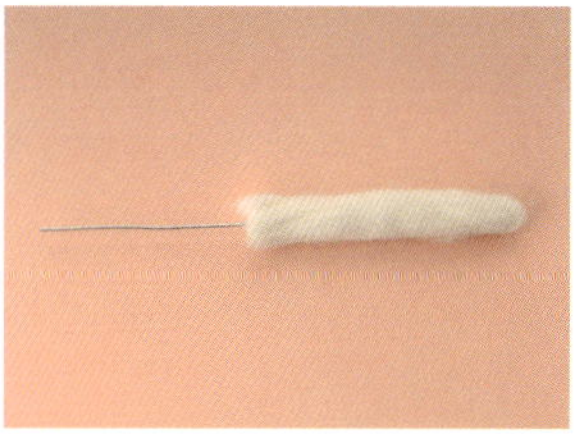

48 しっぽが完成したところ。

猫手

49 手芸綿で直径４cmのボール型を４個作り、手で少しつぶして平たくする。

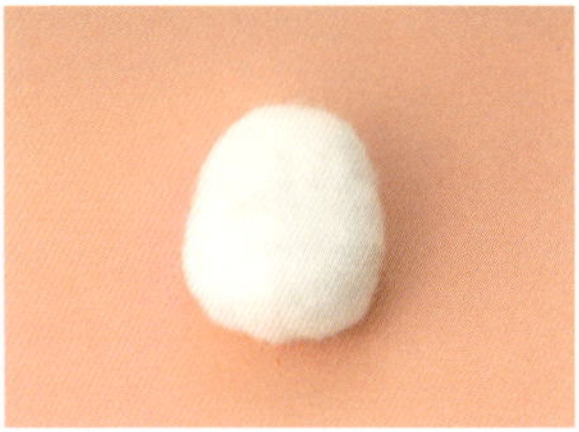

50 ニードルで刺し固めて、猫手のベースを作る。

51 **50**にニードルを刺し、４本の溝を入れて指先の形状を作る。

52 ４個のうち２個は前足の猫手にするため、手芸綿を足してニードルで刺し固めて親指を作る。

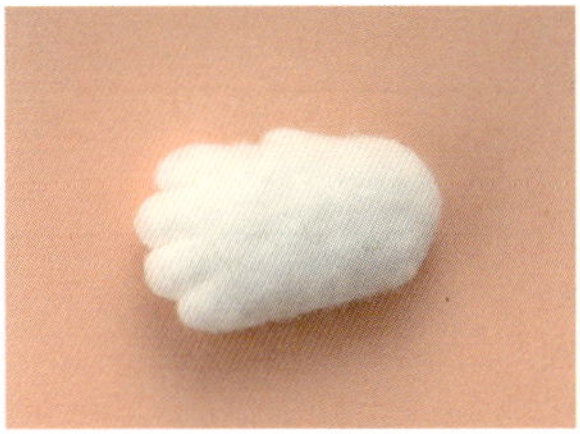

53 手芸綿をさらに足して、足首まで作った前足の猫手。

肉球

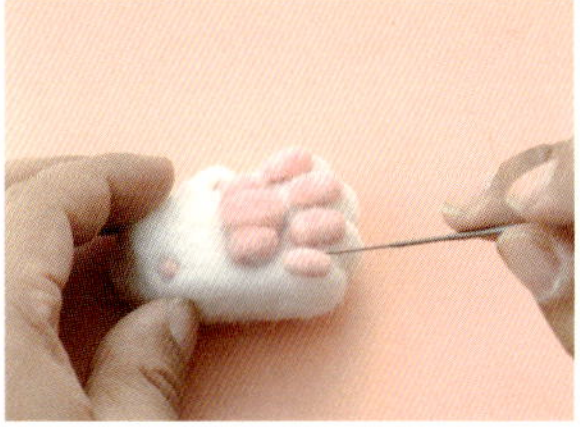

54 前足の猫手に４個の指球、親指球、掌球、手根球を刺しつける（下記コラム参照）。

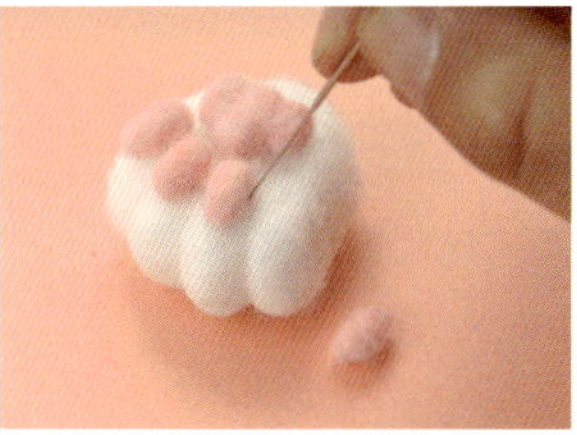

55 後ろ足の猫手には4個の趾球と足底球を同様に刺しつける。

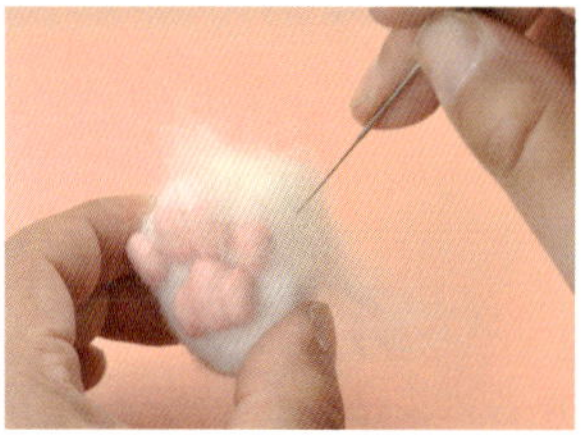

56 肉球を刺しつけたら、それぞれの猫手全体に羊毛綿を盛り、ニードルで刺す。

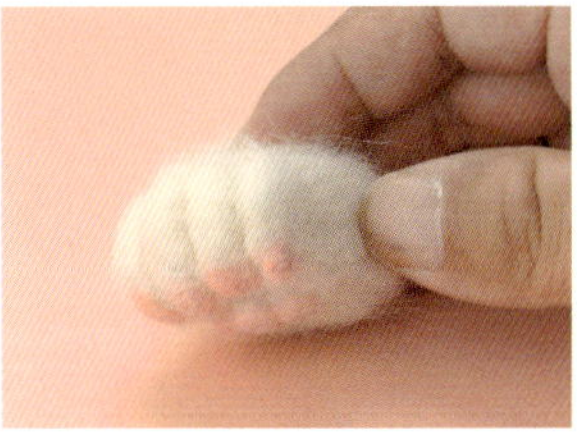

57 完成した後ろ足の猫手。

column

大小のボール状にしたピンクの羊毛で肉球を作る

ピンクの羊毛をボール型にしたもので肉球を作ります。指球用には直径約4mmのボール型を4個、掌球用には直径約7mmのボールを1個と直径約4mmのボール型を2個作ってつなげます。前足の親指球と手根球にはそれぞれ直径3mmのボール型を1個作ります。大きさはあくまで目安で、掌球の中央球が一番大きいとイメージして作るとよいでしょう。肉球は周囲全体を猫手にしっかりと刺しつけないと取れてしまうので注意。

上級編
“歩く猫”を作る

接合／仕上げ

これまで別々に作った猫手、頭部、しっぽを胴体に接合します。頭部をつけるときは慎重に角度を決め、最後に全体の毛並みを整えて完成です。

猫手の接合

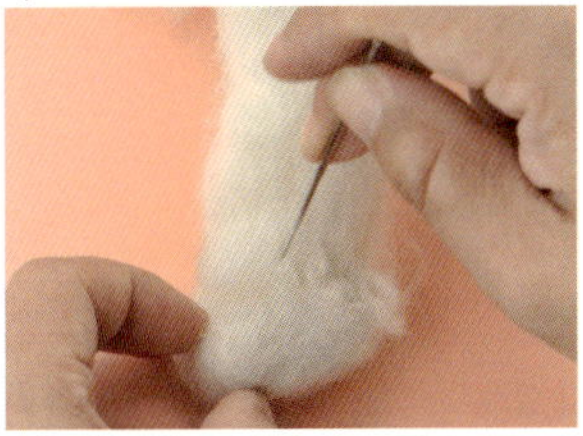

1 4個の猫手を前後それぞれの足の先にニードルを刺してつなげる。

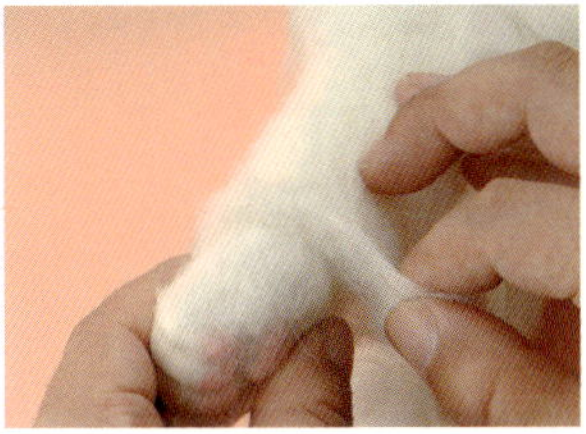

2 足から伸びた羊毛は、猫手を外から包み込むようにニードルで刺しつける。

頭部の接合

3 胴体につける頭部の角度を決めて、ニードルを刺して仮止めする。

4 首となる部分360度全体を手芸綿で補強し、ニードルで刺しつけて頭部と胴体を接合する。

5 頭部が接合されたら、手芸綿の上から羊毛を盛りつけ、一体化するようにニードルで刺してなじませる。

しっぽの接合

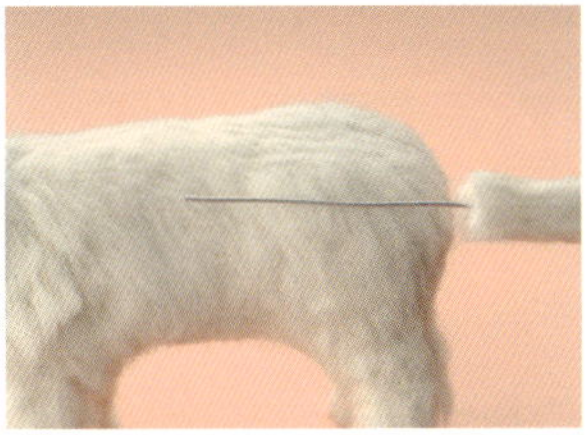

6 しっぽを胴体に合わせて、針金がどこまで入るかを確認する。

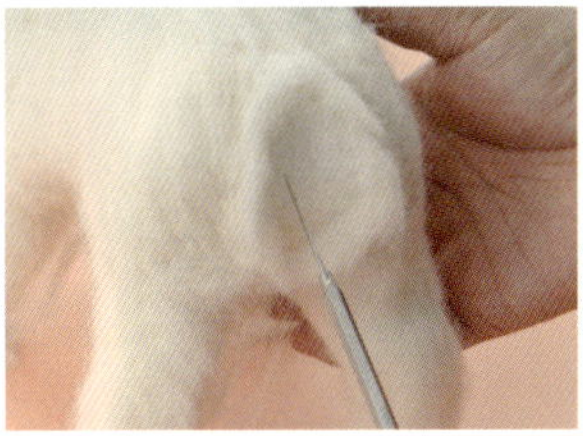

7 臀部の羊毛をハサミで切り開き、目打ちで深さ5cmの穴を開ける。

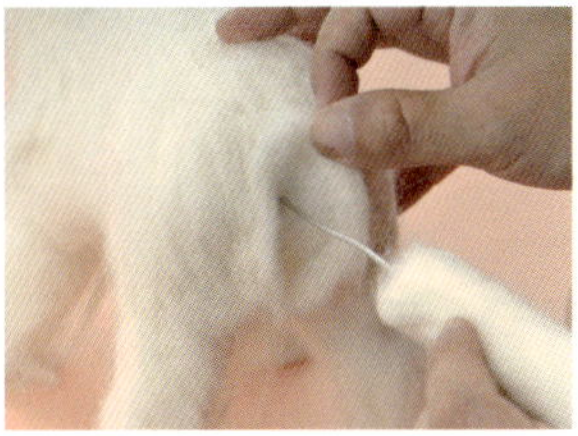

8 穴にしっぽの針金を差し入れる。

9 胴体としっぽの接合部分をニードルで刺しつけて、なじませる。

仕上げ

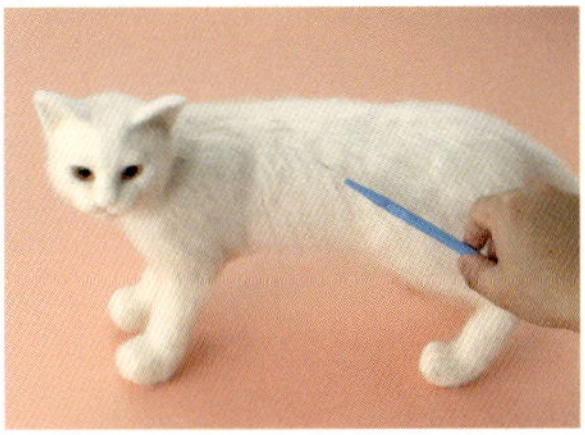

10 全体の毛並みを引っかき棒で整える。

column

色違いの羊毛を使って好みの柄に仕上げても

ここでは白い羊毛のみで作りましたが、好みで違う色の羊毛を足してもかまいません。作例で紹介しているような茶色が混ざった柄の猫を作るなら、必要な量だけ茶色の羊毛を切って盛りつけます。そのほかの柄については、P68を参照。

猫人形作家のつぶやき

亡くなってしまった愛猫を再現してほしいという依頼がよくあります。しかし、愛猫を再現できるのは、家族同然に接してきたあなただけです。あなたの、もう一度抱きしめたい、見つめ返したい、そんな強い願いに傑作を生み出す力が秘められています。

愛猫が死んだことにショックを受け、「もう命あるものは飼わないと誓ったけど…、やっぱり猫が大好き」という人は、その時点で猫人形作家への道が開きます。

猫という生きものは人の手の届かない、神の領域に存在するものなのかもしれません。だからこそ、猫人形作りは人生をかけて取り組む価値があるとさえ思っています。

Lesson 4

応用編

“リアル”の工夫

骨格のポイント

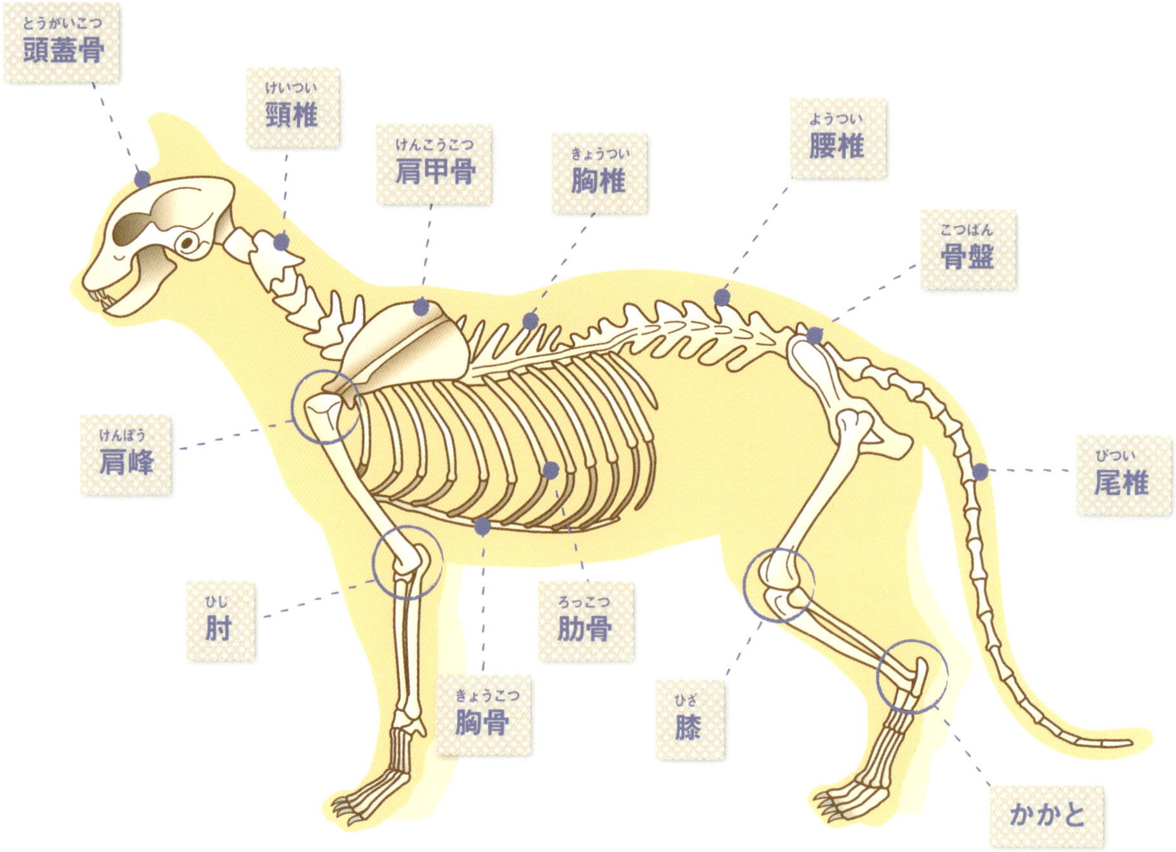

猫の頸椎は人間と同じ7個ですが、胸椎は13個と人間よりも1個多く、腰椎は7個と人間よりも2個多いのが特徴です。尾椎は個体によって数が変化します。鎖骨は肩甲骨と胸骨の間にありますが、関節を形成せず筋肉の上に付着した状態で存在しています。膝関節は立位の状態でも常に多少曲がった状態。歩く時には、かかとは着地せず、足の指（趾骨）で着地し、胸椎よりも肩甲骨が上がるのが特徴です。実際の猫にふれてみたり、じっくり観察することが、猫人形の完成度を高める近道といえます。

肘と膝

猫の肘は４本足の立位の時は毛に隠れて見えにくいが、顔を毛繕いしている時などに肘の部分がよく見えるので観察したい。膝も立位の場合、腹部のたるみと毛に隠れてあまり見えない。招き猫ポーズや座っている時によく見えるので、しっかりチェック。

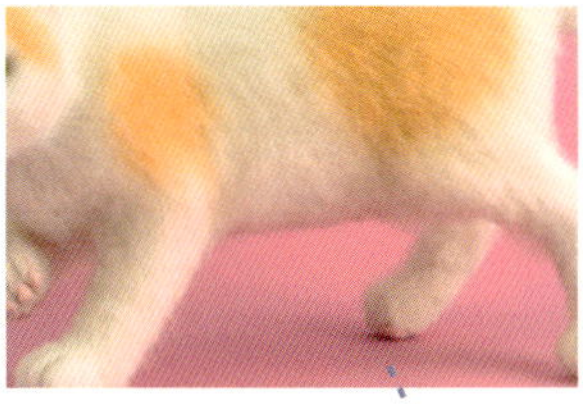

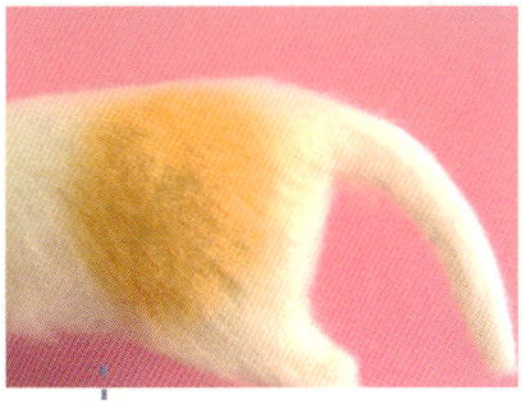

臀部～しっぽ（尾椎）

猫のしっぽは、腰椎→骨盤→尾椎の順で直結している。そのため、骨盤あたりからスラッと伸びるように作るのが自然。あまり臀部の下のほうにつけると、不自然になるので注意。

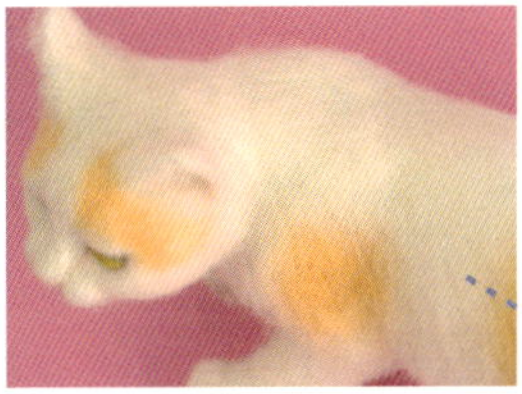

肩甲骨

首の後ろ側に位置する肩甲骨。作る位置を間違えたり、過剰に隆起させてしまうと全体のバランスを崩してしまう。あくまで自然な盛りあがりに仕上げること。

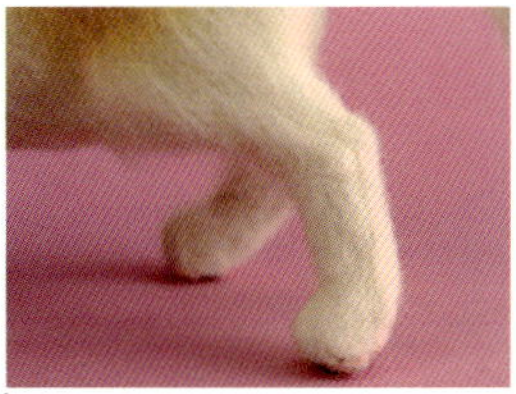

かかと

猫のかかとは歩行の際は地面には接しない。主に趾骨（足の指の骨）で地面と接する。目視ではあまり目立たないが、指でさわると小さく飛び出た骨を確認できる。

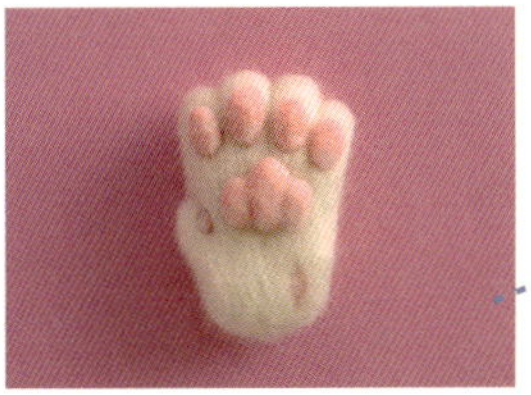

前足

プニプニとした独特の触感がある肉球。獲物に接近する際に気づかれないように足音を消す働きがある。前足には指が5本あるが、これをきちんと再現するかどうかで猫手のリアリティが大きく変わる。

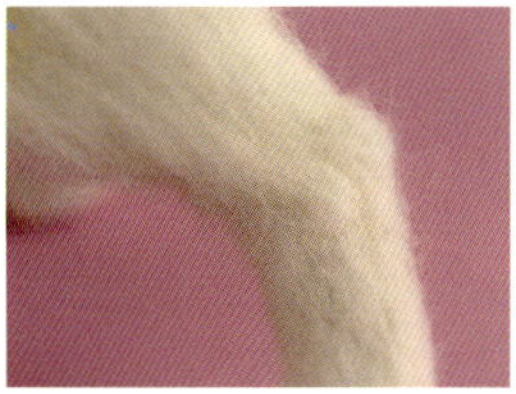

外果（外くるぶし）

猫にかかとがあれば当然、くるぶしもある。くるぶしは毛の長い猫の場合、なかなか見てとれないが、野良猫などでは湿気や汚れなどで垣間見える。こういった細部を表現することによって、よりリアルな猫らしい表現ができる。

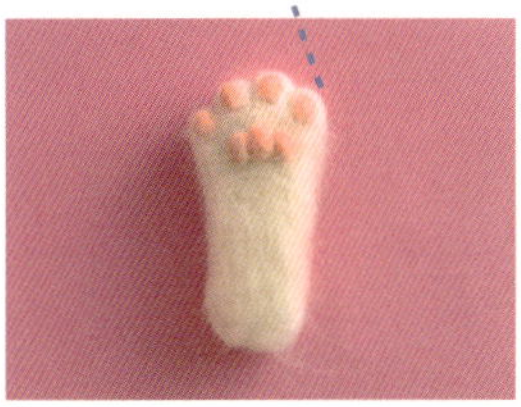

後ろ足

猫の後ろ足は、前足より１本少ない４本指になる。これは進化の過程で走る時に必要がなくなったからとされる。

胸部

猫の胸部には胸骨と鎖骨がある。猫の鎖骨は人間のように胸骨と肩甲骨の間にありながら、関節を形成せず、筋肉の上に付着した状態でとても小さい。そのため、大げさに鎖骨を隆起させると不自然になってしまう。胸部の表現では毛の流れと羊毛の厚みで表現したほうが自然に仕上がる。

ポーズいろいろ

針金で胴体と足の芯を作ることで、基本の4本足立位の状態から自在のポージングを可能にします。これは、猫の生態をいかにリアルに仕上げられるか!?と悩みぬいた結果生まれた技法です。この技法を用いることによって、さまざまな猫のポーズを自然に仕上げることができます。作例を参考に、好みのポージングを試してみてください。

2本足で立つ猫

顔をあげ、おねだりをする猫。完全に立つのではなく、まだ少しおしりが地面についている状態。

立ちあがる途中の猫

顔は上を向いているが上体が完全にあがりきっておらず、背中もまだ丸いまま。このように動作の中間をとらえて形に残すことで、その動きの先を見る側に連想させる。

見返り子猫

まず4本足立位のスタンダードな猫人形を制作。座らせてから見返りをさせることによって、より自然なフォルムに仕上げる。

相手を挑発しながら遊びを催促する猫

耳を軽く伏せ、眉間や鼻筋にしわを入れないことで無邪気な遊び心を表現する。後ろ足で相手との距離を取り、入ってきたら猫パンチ！

ロックオンする茶トラ猫

上体を深く伏せ、瞳孔は大きく広く。獲物をロックオンしながら目標に近づく緊張感を、左足のかかとと肩甲骨、肘のディテールで表現。

耳をかく猫

耳を後ろ足でかく態勢は不安定になるので、前足で上体を支えている。また、腰の部分も耳をかきやすく少しひねりが入っている。こういう複雑なポージングをする時も、基本は4本足立位を制作してからポージングに移ると自然な感じに仕上がる。

寝そべり見返り白キジ猫

猫の美しさはその曲線にある。寝そべっていながら放りだした足と反対方向に顔をひねる上体のやわらかさは、猫ならではの魅力。猫をポージングする際は、直線的になるとおもしろくないので、どこかにひねりの入った曲線をだすとよい。

表情のいろいろ

猫の表情はまぶたの膨らみや開き具合などで大きく変化します。目を閉じていたり薄目を開けている状態を表現する時も、必ず内部にプラスチックアイを入れておきます。そして、まぶたの部分に多めに盛った羊毛で目を覆うように膨らみを形作ることで、自然なまぶたとなり、猫らしい感じに仕上がります。

ふてぶてしい猫

ふっくらした顔つきでいながら、何かをたくらんでいるような怪しい表情!?

片目を細める猫

猫の耳の後ろをかいてやると、気持ちよくて思わず目を細めることがある。これはそんな表情。

目をつぶっている猫

両目をつぶらせて眠っている子猫の顔を表現。小さいころから人間に慣れている猫は、無防備で口も半開きになる。

目を細めている猫

親離れできない子猫が両目を少し開き、自分のしっぽを吸いながら見せる夢心地の表情。

耳の表情いろいろ

耳は猫の心模様を表現するために必要不可欠な部分です。物音などに気づいて情報収集をしている耳、不安になっている耳、警戒している耳、毛繕いをして気分がよい時の耳など、いろいろあります。それらを表現するためには、初めのうちは耳を大きめに作るのがよいでしょう。ポージングが済み、感情表現の調整を行う最終段階になってから好みの耳を形作ることで、ポージング済みのボディに顔と耳が連動した作品に仕上がります。

リアルな耳

通常のたて耳の状態。猫人形の制作に慣れてきたら、このように耳の軟骨や耳たぶの表現にチャレンジしてみても。

片方の耳を寝かせる

耳をかいている猫を見る時、かかれているほうの耳だけに目がいきがち。反対側の耳をよく観察すると、微妙にそり返っている。

両耳を寝かせる①

遊びたくて誘っている時やじゃれあっている時、また耳を傷つけないために無意識に両耳を軽く伏せる。

両耳を寝かせる②

相手の猫パンチが思ったよりもヒットした場合などは、耳を伏せる角度も深くなり、防御体制に入る。興奮して眉間や鼻筋にしわが寄りはじめたら、本気モード突入！

柄のいろいろ

猫の毛の色や柄の見た目は光のあたる条件によってさまざまに変化します。キジトラ猫を例にとってみると、まわりが暗くなるとキジ色は闇に隠れて全体が黒っぽく見えるようになります。また、柔らかい日差しの中では黒い毛よりもキジ色が浮かびあがります。また、室内でも明るい照明の下と暗い蛍光灯の下にいるのでは、大きく色合いが変わってくるので注意しましょう。

グレーと黒の斑（まだら）

白のボディにグレーの羊毛で背中から腰を覆い、さらに黒い羊毛で斑模様を表現。黒色を直線的に入れてしまうとトラ模様になってしまうので、適度に隙間をあけて斑にする。

キジ白斑

白のボディに薄い茶色の羊毛を盛りつけ、黒の羊毛で斑を入れていく。黒斑模様を規則的に入れずに小さく斑に入れる。

ベンガル

ベンガルは飼い主によって小さい斑を望む人と豹や蛇のような大きな斑を望む人にわかれる。日本では小さい斑が人気だが、海外では豹や蛇のような大きな斑を好む人が多い。この柄は、斑の大きな通称“ワイルドベンガル”の子猫をモデルにしている。

茶トラ

茶トラはこげ茶色よりも明るいオレンジ色のほうが作品全体に暖かさがでる。茶トラの毛並みは、根元が白色で中間と毛先が茶色、斑は濃い茶色になっている。茶トラ本来の美しさを表現する場合、まず白の羊毛でボディのベースを作り、その上から明るい茶色の羊毛を盛りつけることで茶トラらしさがでる。

三毛猫柄

三毛猫柄の子猫は、「もう、ずるい！」としかいいようがないくらい、かわいい。制作する側としても小さな斑と苦闘しなくてもいいので、比較的取り組みやすい。そして、何よりも日本人は三毛が好き。

ハート柄

この手の狙った柄を作る場合、ハート模様の輪郭を維持することが最優先となる。羊毛を盛りつける前にしっかりとデッサンをして、頭の中の手順と実際の手順に狂いがないように作業する必要がある。

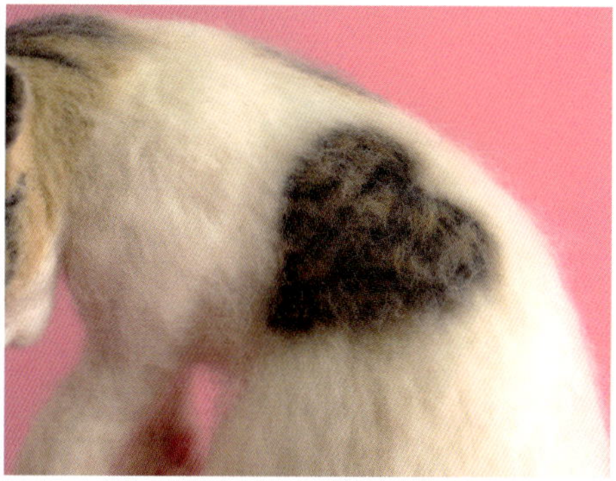

ONE POINT ADVICE

理想の色を作るテクニック

猫人形作りで一番苦労させられるのが猫の毛色です。なぜかというと、猫の毛色は1本1本でも微妙に違い、さらに根元と中間、毛先でも違うことが多いからです。ここでは羊毛をよりリアルな毛色として再現するテクニックとして、2色の羊毛を混ぜ合わせる「混毛」の技法を紹介します。

1 濃い茶色と明るい茶色の羊毛を用意する。

2 それぞれの羊毛を長さ約3cmに切る。

3 切った2色の羊毛を同じ繊維方向に持って重ね合わせる。

4 そのまま左右にゆっくりと引っ張り、指で切り裂く。

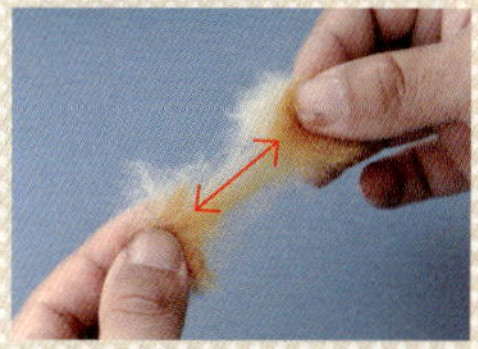

5 引き裂いた羊毛を再度重ね合わせ、さらに左右に切り裂く。

6 もとの束の感触がなくなるまで繊維を混ぜ合わせていく。

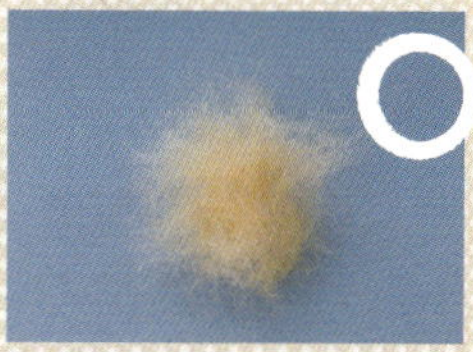

7 毛色がきれいに混ざった「混毛」が完成。

2色がうまく混ざらず、斑になってしまった失敗例。

猫人形作り Q&A

フェルティングや猫人形作りにまつわる
さまざまな疑問や悩みに答えます。

Q1

ニードルには レギュラータイプと 細針があるそうですが、 両方あったほうが いいですか？

レギュラータイプは針先が太く、大きな面積を刺し固める時にとても便利です。しかし、刺した跡が小さな穴状に残ってしまい、表面をキレイに仕上げることができません。

表面をキレイに仕上げるには細針が向いています。ただ、1回の刺し入れで絡められる繊維の量が少ないので、広い面積を刺し固めるには時間がかかります。また、針先が細い分、折れやすいのも注意点です。使用する局面に応じてニードルを選んだほうがキレイに仕上がります。

Q2

ニードルを 刺しすぎたからか、 とても固くなって しまいました。

ニードルを刺すのに夢中になり、無駄に固くしてしまうことは初心者の方によくあることです。固くした面積が小さければ、手芸に使うかぎ針や引っかき棒などで表面を少しずつすくい上げ、繊維が密集していた羊毛や手芸綿の内部に空間を作ることでソフトに修復できます。しかし、大きな面積でこの作業を行うのは非常に手間がかかり、キレイに仕上げるのは容易ではありません。この場合は新しく作り直したほうが得策です。

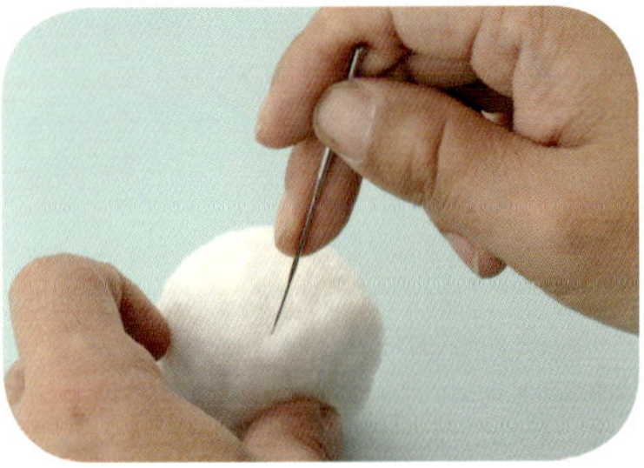

Q3

毛並みが不自然に なってしまいました。 どのように 直せば良いですか？

毛並みが思い通りにならない時は、その上から羊毛を追加したり、かぎ針や引っかき棒で毛先を流しながら調整します。それでも不自然になってしまう時は、刺した羊毛をはがして、最初から刺し直すしかありません。そうならないためにも、仮止めのときから毛並みの方向や流れを意識して羊毛を盛りつけましょう。

Q4

羊毛や手芸綿の分量を計る方法を教えてください。

料理などに使うグラム単位で計れるデジタルスケールを用いるのが良いでしょう。スケールがない場合は、羊毛を買った時に100g入りであれば10等分して10gずつ、さらにそれを10等分して1gずつと分けておくと分量の目安になるので便利です。初心者の方であれば、最初は実際の分量より少なめに手に取り、固さや毛並みを調整しながら少しずつ足していく作り方のほうが無難です。

Q5

猫人形にひげをつけないようですが、なぜですか？

顔の微妙な凹凸を表現しなくても、ひげさえつければ猫っぽい人形が作れます。しかし、これは私の目指すところではありません。安易に猫らしく見せようとするのではなく、猫の持つ個性と生命感を表現することを優先し、あえてひげをつけないことが多いです。

どうしてもひげをつけたい場合は、つまようじなどで上あごの部分に穴を開け、好みの長さに切った透明テグスの先端に接着剤をつけて差し込めば、ひげになります。

Q6

子どもでもリアルな猫人形はできますか？

羊毛フェルトの良いところは、老若男女問わず楽しめることです。ただし、ニードルの針先はとても鋭く、誤って手に刺すとケガをします。お子さんが作る場合は、保護者の方がそばについてニードルの危険性を説明し、注意しながら作業させてください。

Q7

作品を長く保存したいのですが、どのようなことに注意すれば良いですか？

羊毛フェルトは変形しやすいので、作ったときの形を保ったまま飾っておきたいのであれば、クリアボックスなどに入れて観賞するのが良いでしょう。ほこりをかぶってしまった時は、逆さまに持って軽くはたけばOKです。ほこりをとろうとして洗濯してしまうと、単なる羊毛の固まりになってしまうのでご注意ください。

Q8

猫人形作りが上手になるための心得はありますか？

常に勉強する気持ちが大切です。本物の猫を観察する、美術館で芸術作品を鑑賞する、博物館で古くから伝わる技と作品の存在意義を感じとるなど、強い向上心を持ち続けることが重要です。猫を観察する時は、そのかわいらしさに心を奪われてしまいがちですが、猫人形作りを意識して見るなら、冷静さをたもって向き合いましょう。

Q9

猫人形は羊毛以外の繊維を使ってはダメでしょうか？

いいえ、そんなことはありません。モヘアなどの獣毛やシルク、毛糸、フェイクファーなどの化学繊維、あるいは愛猫の毛を混ぜて作ることもできます。ニードルの突起に引っ掛けることのできる細さの繊維であれば使用可能です。

ベースに使う素材も、紙粘土、スポンジ、余った布切れやタオルなど、ニードルが刺さるものであればOKです。好みに合った芯材を探してみるのも良いでしょう。

Q10

型紙以外の大きさの作品を作っても良いのでしょうか？

型紙はあくまで目安のサイズです。一度作って慣れてきたら、自分なりに好みの大きさで作って結構です。小さい猫人形を作って、キーホルダーや携帯ストラップなどにするのも楽しいですね。

Q11

等身大の猫人形は、時間がかかり面倒です。早く仕上げる方法はないですか？

単刀直入な答えとしては、早く作る方法はありません。羊毛フェルトはどんな人でもできる簡単な作業ですが、せっかちな人には難しいとも言えます。いずれにしろ、時間と手間を省いて作られるものに良いものはありません。モデルがどんな猫であっても、質の高い猫人形を作りあげるには、それ相応の時間が必要になります。 その時間を猫と語り合うように作ることができれば、傑作が生まれること間違いなしでしょう。

Q12

指が汗ばんでニードルが持ちにくくなります。どうすれば良いでしょうか？

ニードルには滑り止めのグリップがないので、長時間作業をしていると指先が汗ばみ、滑りやすくなることがあります。いろいろ試してみましたが、私が滑り止めに用いているのは両面テープです。ニードルの人差し指と親指でつまむ部分に1～2cmに切った両面テープを貼りつけ、粘りつきをおさえるために手芸綿をほんの少しだけつけます。これで完成です。両面テープが汚れてきたら、はがしてつけ直します。

おわりに

命の光を表現する～光あふれる猫人形

私が猫人形作りを始めた頃、試行錯誤を繰り返す日々がありました。
その頃はまだぬいぐるみ的な作品に留まり、それで自己満足していましたが、
あることがきっかけで作風が大きく変わり、
現在のスーパーリアル路線に傾倒するようになりました。
その頃、毎日通る道路沿いの畑に、キジトラ模様の野良猫がいました。
キジトラ猫は毎日そこにいるわけではなく、
暖かい日の、耕した後のホカホカの土の上に座っているのです。
だから、そのキジトラ猫に会えた日は
ほっこりとした優しい気持ちになりました。

そんなある日、いつものように歩きながら
遠くから道沿いの畑を見てみると、
あのキジトラ猫がいるのが見えました。
しかしその瞬間、私はいつもと違う嫌な予感を感じました。
さらに歩き近づいてみると、
キジトラ猫は車にはねられて死んでいたのです。
あまりのショックに私は我が目を疑い、
声も出せずただその場に立ち尽くすことしかできませんでした
（その後、そのキジトラ猫は
近所の愛猫家の方々によって葬られました）。
それから数日して、なぜあの時に私はキジトラ猫が死んでいると
遠くから見て察知できたのだろうかと、疑問に感じはじめました。
キジトラ猫の死のショックが私の脳裏に鮮明に
その時の状況を焼き付けていたのです。
キジトラ猫は亡骸であるにもかかわらず
外見的には毛の色もツヤもさして生前と
変わりがなかったからです。

その日から、なぜ遠くから見ても死んでいるのがわかったのか、
自問自答する日々が続きました。
その後しばらくして、同じ道沿いを歩いていると、
今度はその畑に似たようなキジトラ模様の子猫が座っていました。
その時、私は子猫からあふれ出んばかりの気のようなもの、光のようなものを感じました。
これは毛の色やつやなどで説明できるものではありません。
ただ言えることは、“光であふれている”ということでした。
そこで私が悟ったのは、“命は光”なんだということです。
私の作る猫人形に“生きている猫のような光”を表現することができれば、
きっと生きた猫の生命観を表現した“命あるような猫人形”が
作れるのではないかと思うようになりました。

それから、どうすれば光を（命を）
表現できるのかという終わりなき格闘が始まりました。
猫の目をどこまで再現できるのかと、
いろいろな素材で自作したり
微妙に形状の違うひげを1本ずつ作りわけ
体毛となる素材を羊毛以外の素材に変えてみたり、
細かな部分を作り込んでみたりと試行錯誤しましたが…、
いまだ納得のいく作品は作ることができません。
そして、それはそう簡単にできるものでもないでしょう。
だからこそ人生をかけて取り組む
ライフワークとして猫と向き合い作り続けるだけの価値が、
猫人形制作にはあると思います。

佐藤法雪

猫人形の型紙

※猫人形の原型や各パーツを
制作する際の参考にしてください。

Lesson 1 初級編

レリーフ子猫

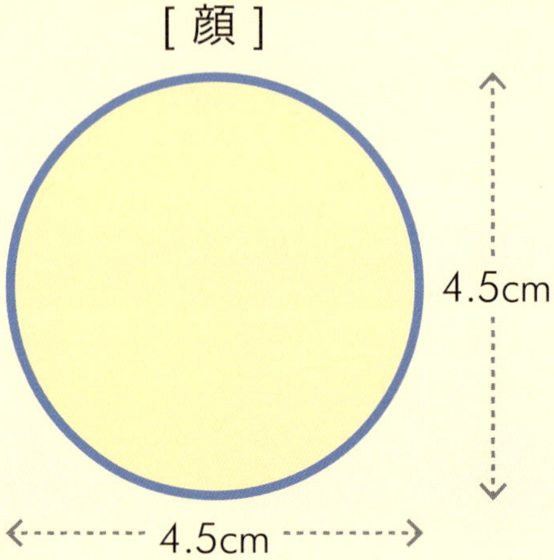

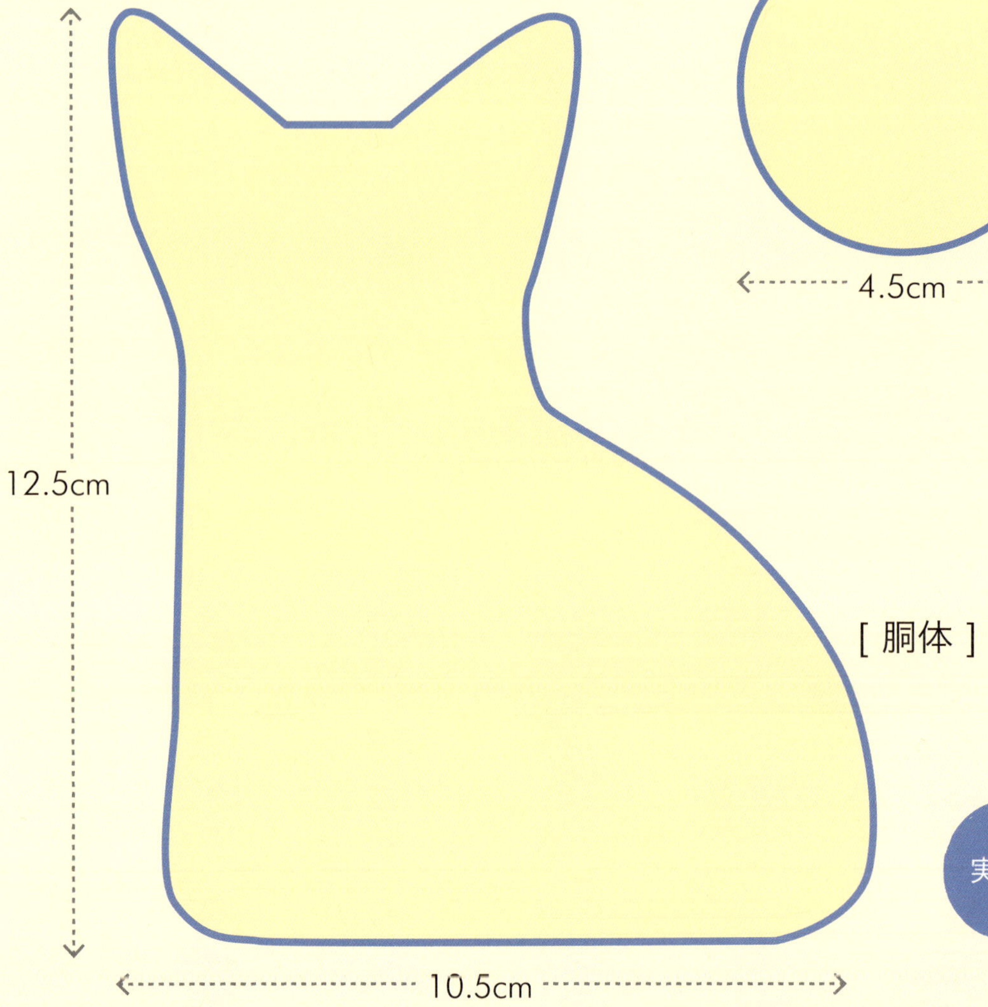

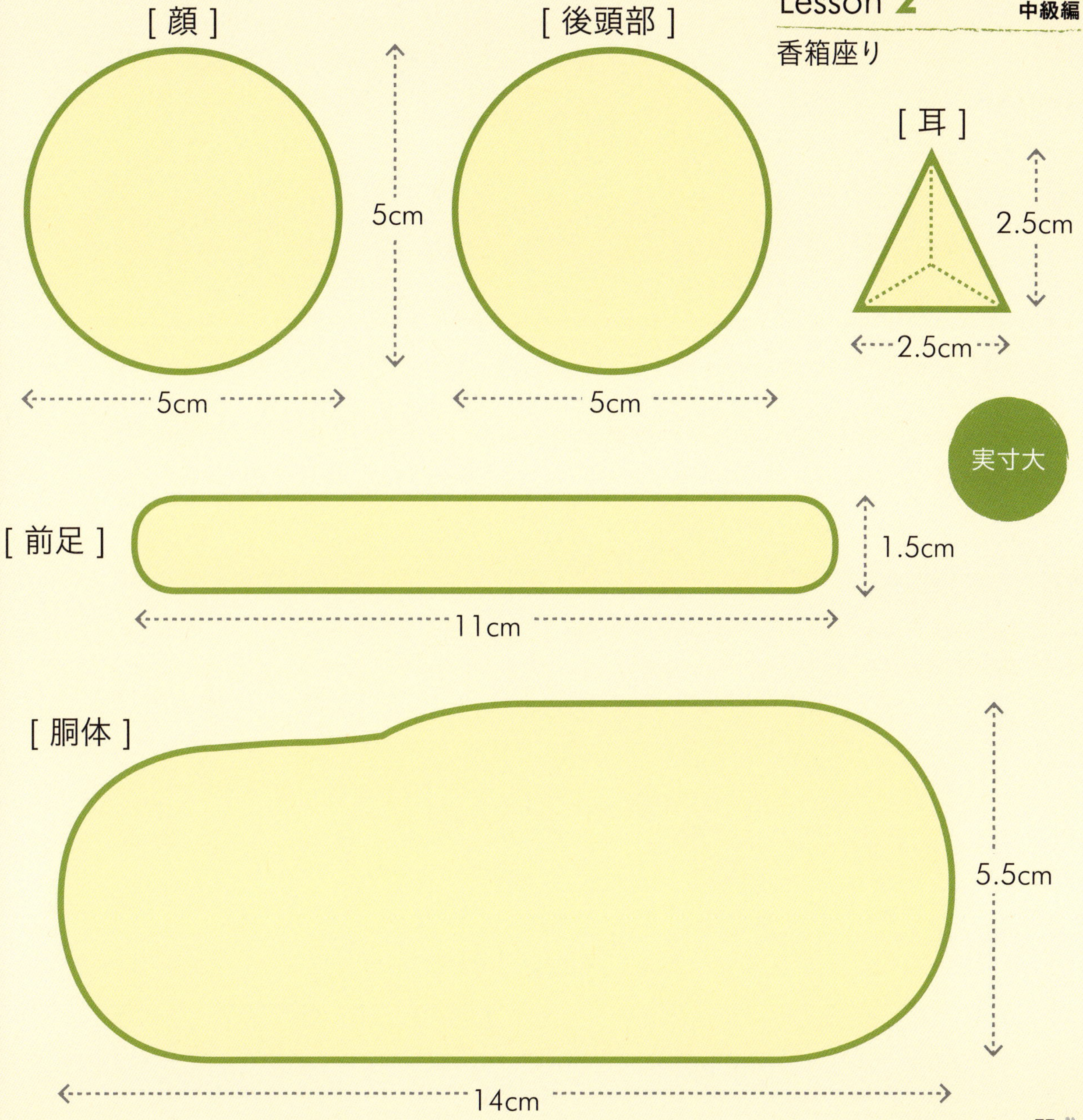
[顔]
5cm
5cm
[後頭部]
5cm
[耳]
2.5cm
2.5cm
実寸大
[前足]
1.5cm
11cm
[胴体]
5.5cm
14cm

Lesson 3 上級編

歩く猫

実寸大

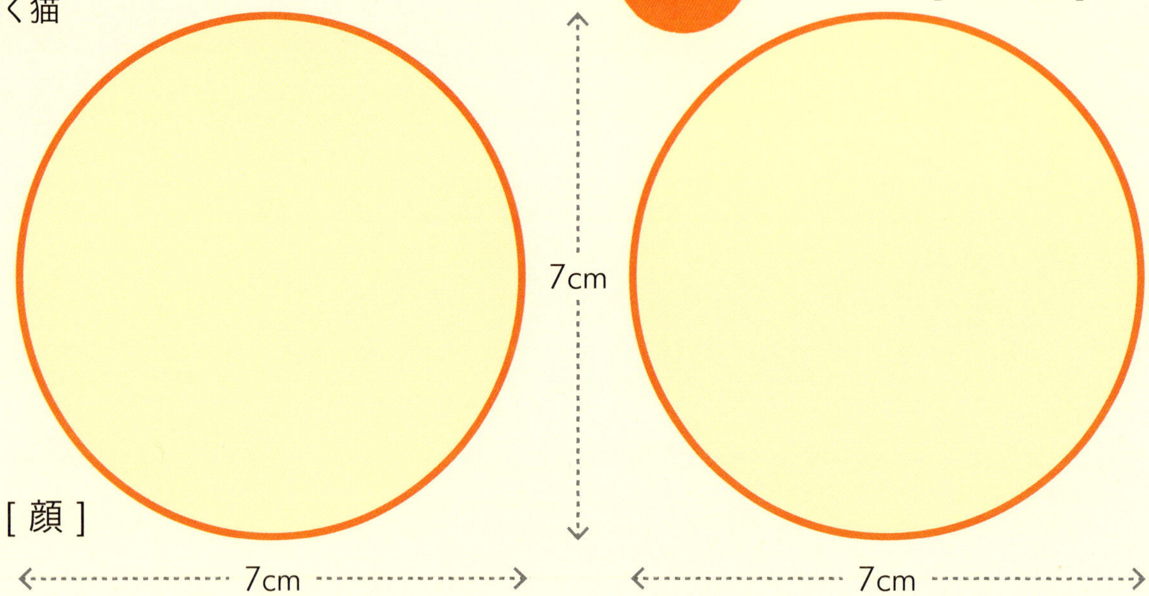
[顔]
[後頭部]
7cm
7cm
7cm

実寸大の制作例

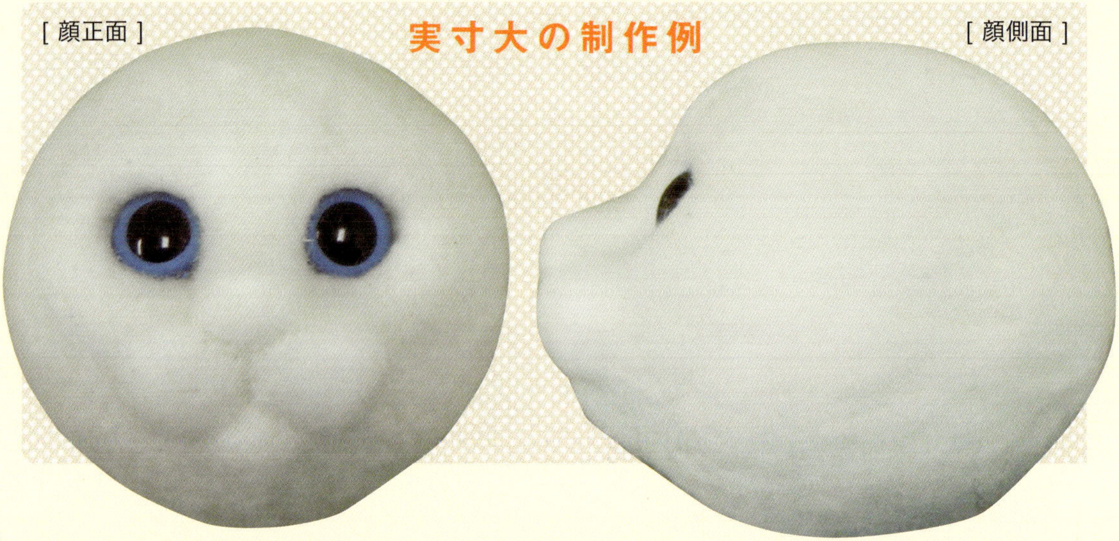
[顔正面]
[顔側面]

実寸大

[しっぽ]

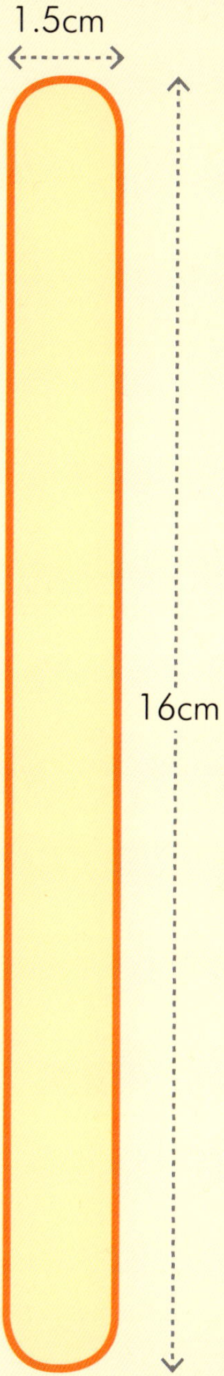

[耳]

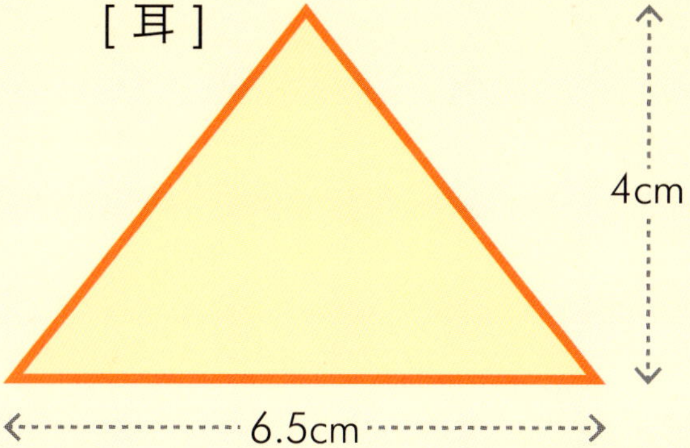

実寸大の制作例

[耳]

STAFF

編　集　　岸並 徹
写　真　　末松正義
装　幀　　松本 健二（idf）
本文デザイン　　桜田もも
イラスト　　三河真紀
出版企画　　神津 磨莉絵（idf）
制作協力　　早野佳秀、浅見幸宏（FAIS UN REVE）

羊毛フェルトで作る リアル猫人形

2012年2月22日　初版第1刷
2017年2月13日　初版第6刷

著　者　佐藤法雪

編　集　　上野建司
発行者　　佐野 裕
発行所　　トランスワールドジャパン株式会社
〒150-0001 東京都渋谷区神宮前6-34-15 モンターナビル
Tel.03-5778-8599／Fax.03-5778-8743

印刷・製本　　中央精版印刷株式会社

Printed in japan